A QUEDA PARA O ALTO

Dados Internacionais de Catalogação na Publicação (CIP)
(Câmara Brasileira do Livro, SP, Brasil)

Herzer, 1962-1982.
A queda para o alto / Herzer ; [prefácio Eduardo Matarazzo Suplicy]. – 26. ed. – Petrópolis, RJ : Vozes, 2023.

ISBN 978-85-326-0384-5

1. Fundação Estadual do Bem-Estar do Menor (SP) 2. Herzer, Sandra Mara, 1962-1982 3. Menores abandonados – Brasil – Aspectos sociais 4. Menores abandonados – Brasil – Biografia 5. Menores abandonados – Cuidados institucionais I. Suplicy, Eduardo Matarazzo. II. Título.

07-6669 CDD-920.936273

Índices para catálogo sistemático:

1. Menores abandonados : Assistência : Bem-estar social : Biografia 920.936273

Herzer

A QUEDA PARA O ALTO

Prefácio de Eduardo Matarazzo Suplicy

Petrópolis

Rua Frei Luís, 100
25689-900 Petrópolis, RJ
www.vozes.com.br
Brasil

Revisão gráfica: Barbara Kreischer
Diagramação: Sheilandre Desenv. Gráfico
Capa: Felipe Souza | Aspectos

ISBN 978-85-326-0384-5

Este livro foi composto e impresso pela Editora Vozes Ltda.

Dedico este livro ao Amigo, Companheiro,
Mestre incansável, ao Pai, ao Irmão,
ao Homem que as palavras jamais
conseguirão definir...
A Eduardo Matarazzo Suplicy!

Agradeço aos amigos que incansáveis me
auxiliaram no cumprimento desta obra e
que nesta hora estejam certos de que este
sonho realizado constitui momentos e a
presença marcante de cada um.
Eduardo Suplicy, Carlos Alberto Luppi,
Lia Junqueira, Ana Cecília, Francisco A.
Neto, Nereide Dalbon, Dora Massari e
demais que me apoiaram a jamais
desistir da meta para chegar a este
ponto de chegada.

Sumário

Prefácio à 25ª edição

Boa notícia foi a decisão da Editora Vozes de publicar uma nova edição, agora a 25ª, de *A queda para o alto* de Sandra Mara ou, como costumava assinar, Anderson Herzer. Já se esgotaram os exemplares da 24ª edição, de 2001. A primeira foi em 1982, poucos meses depois de seu falecimento.

Por onde ando pelo Brasil, as pessoas me contam com frequência o quanto ficaram comovidas com a história e os bonitos poemas de Herzer que nos deixou tão prematuramente, aos 20 anos, para se transformar em ator do mundo. Também não são raros os jovens que me procuram para dizer que resolveram organizar uma peça de teatro contando a história de Herzer e seu libelo sobre a importância de se tratar as pessoas com o maior respeito. Em 2002, por exemplo, o Grupo de Teatro Jovem de Heliópolis, a maior favela de São Paulo, procurou-me para que eu pudesse fazer a apresentação da peça contando o que eu sabia a respeito dela. De como eu a conheci quando ela ainda estava na Febem; de como ela veio trabalhar em meu gabinete como estagiária, na Assembleia Legislativa de São Paulo; de como suas palavras redigidas neste livro teriam um impacto duradouro no sentido de contribuir para que não houvesse jovens, homens e mulheres neste país que, por falta de melhores condições de vida e de atenção familiar, fossem por vezes instados a cometer delitos que os fizessem passar alguns dos melhores anos de sua vida trancafiados na Febem ou em instituições congêneres, como hoje a Fundação Casa. A peça foi tão bem-sucedida que, quando o diretor de teatro José Celso Martinez Corrêa a assistiu no Centro Cultural de Heliópolis, convidou o grupo para apresentá-la no Teatro Oficina, que teve casa lotada na apresentação. Naquela encenação, perante a comunidade de Heliópolis e seus próprios familiares, houve uma intensa participação da plateia que, ao longo do espetáculo, aplaudia e torcia pelos personagens da peça. Posteriormente, o Sesc convidou o grupo para fazer cerca de 12 apresentações em São Paulo, Santos, Araraquara, Ribeirão Preto, Rio de Janeiro, Campinas e outras cidades. Acompanhei todas.

Também Sérgio Toledo Segall, o cineasta, inspirou-se em *A queda para o alto* para fazer o bonito filme Vera, com liberdade para modificar a história real de Herzer. Outros cineastas têm considerado fazer o filme da sua história real, o que, tenho certeza, será muito bem-sucedido.

Herzer "queria muito unir em mãos de preto e branco, não que ria ser gente, apenas de tantos um manto. Um manto que envolvesse sentimentos bons e ruins, pessoas de toda cor, raça ou pudor, queria ter nas mãos uma pétala de um bem-me-quer, queria poder chorar por todos e sob a comunhão de Deus unir a boa e a má mulher. Queria tanto juntar todos os sentimentos, mas onde estarão eles? Queria muito mais unir o mundo, queria tanto..."

Eduardo Matarazzo Suplicy
São Paulo, junho de 2007

Prefácio
Ela só queria que as pessoas fossem humanas

O depoimento de Herzer constitui o retrato de um dos mais sérios problemas da realidade brasileira: o do menor em dificuldades por não ter tido condições adequadas de sobrevivência e convivência em casa, e de como as instituições como a Febem, Fundação do Bem-Estar do Menor, muitas vezes levam-no a uma situação quase tão desesperadora quanto a se ele estivesse perambulando pelas ruas.

Tão dramático e verdadeiro quanto o que muitos brasileiros e pessoas de todo o mundo conheceram em *O Pixote*, este é o relato excepcional do próprio personagem que viveu dos 14 aos 17 anos e meio em diversas unidades da Febem em São Paulo. Em 1980, através de Lia Junqueira, presidente do Movimento em Defesa do Menor, fiquei conhecendo algumas dessas unidades e o caso de uma pessoa que não tinha mais razão alguma para estar internada naquela instituição. O Juiz de Menores, entretanto, só a liberaria se alguém se responsabilizasse por ela, para que assim pudesse trabalhar e morar fora.

Na sede do Movimento em Defesa do Menor fiquei conhecendo Herzer. Perguntei-lhe de sua vida. Li as suas poesias e peças de teatro, algumas das quais haviam sido consideradas as melhores feitas dentre as escritas por todos os menores nas unidades da Febem. Estava preocupada com a intenção da Febem em publicá-las e do possível uso que fizesse de seu trabalho.

Mas percebi que em Herzer havia uma grande sensibilidade e percepção a respeito do mundo que conhecera, da pobreza no interior do Paraná, da morte trágica de seu pai, da vida de sua mãe que percebia ser de ninguém e de todos, mas que também se foi quando Herzer estava ainda na sua primeira infância; das difíceis situações que passou com seus pais adotivos; do mundo desregrado do álcool, do *Optalidon*, da maconha, das aventuras dentro e fora da Febem; das alegres fugas e tristes retornos; da vontade de transmitir ao mundo a sua experiência. Principalmente para tentar ajudar a cada criança ou adulto, que pudesse passar por algo semelhante e para revelar claramente à sociedade o que existe e que poderia ser diferente.

Havia uma enorme barreira para Herzer conseguir um lugar numa pensão ou arrumar um emprego regular. Pessoa doce, que tratava muito bem aos que lhe respeitavam, capaz de se desdobrar em esforços para fazer um bem a quem necessitasse de alguma ajuda, porém com uma dificuldade de ser aceita normalmente por todos. Pois ao longo de seu tempo na Febem, pouco a pouco, e cada vez mais fortemente, Herzer passou a se sentir e a se portar como se fosse homem. Não sei exatamente as razões, a Febem nunca lhe explicou, mas ocorreu com Herzer uma transformação.

Segundo o testemunho da Dra. Albertina Duarte Takiuti, médica ginecologista do Hospital das Clínicas, aonde levei Herzer para uma consulta em junho passado, os seus caracteres sexuais femininos sofreram uma parada em seu desenvolvimento. O diagnóstico completo de seu balanço hormonal ainda não havia sido completado, embora iniciado, por causa de seu receio a respeito de sua própria condição.

Em seu corpo cresceram pelos, seu cabelo foi cortado como de um rapaz. Passou a usar roupas exclusivamente masculinas. Em todas as unidades femininas da Febem, principalmente na Vila Maria, em que passou mais tempo, Herzer se tornou, mais que líder, "chefe de família", pessoa responsável por muitas iniciativas. Organizava, por exemplo, a apresentação das peças de teatro de sua autoria com participação de muitas companheiras.

Um dos fatores que provavelmente contribuiu para a transformação da personalidade da menina Sandra Mara Herzer em Anderson Bigode Herzer foi o desaparecimento de seu namorado, de apelido "Bigode". Bigode teria falecido num acidente de moto. Segundo Lia Junqueira, a menina Sandra Mara ficou tão triste com a morte do único homem que aprendera a gostar, que pensou em se tornar "Bigode". Em seu punho ela fez uma tatuagem: "Big".

Herzer contou a mim e a Lia Junqueira, no dia em que a conheci, o episódio de seu namorado Bigode. Provavelmente porque preferia não ter mais lembrança de se sentir mulher, optou por não contar esse episódio em seu livro.

Em março de 1980, responsabilizei-me por ela perante o juiz, afirmando que procuraria assegurar-lhe trabalho e a possibilidade de pagar uma pensão. Convidei-a para trabalhar no gabinete durante o primeiro semestre e, em agosto de 1980, indiquei-a para a função de oficial legislativo.

Embora apenas com um ginásio precário feito na Febem, Herzer sabia escrever bem e datilografar, o que a ajudaria em seu trabalho.

Apresentei-a a Rose Marie Muraro, a fim de lhe mostrar as suas poesias para eventual publicação, pela Editora Vozes. Mas Rose Marie percebeu que elas teriam muito mais sentido se pudessem estar acompanhadas da própria história de Anderson Bigode (Big) ou de Sandra Mara Herzer. Nestes dois anos continuou trabalhando e escrevendo. Diversas atribulações ocorreram. Por duas vezes, de madrugada, fui buscá-la na delegacia do Parque D. Pedro II. Ela estivera perambulando em lugar de vida noturna. Nem sempre esteve bem de saúde, ora apresentando sinais de anemia, ora de disritmia. Nos últimos meses estava preocupada com um caroço que aparecera em seu pescoço. Marcara exames no Hospital das Clínicas, no início de setembro, para verificar o que havia, por recomendação da Dra. Albertina Duarte Takiuti. Em meio a todas as dificuldades, Herzer teve muita fibra para acreditar em si e transmitir esse extraordinário depoimento com uma qualidade literária surpreendente.

Ao lado de diversos funcionários da Assembleia Legislativa, Herzer participou da autoria de um livro de poesias, *Versejando*, lançado em julho último. Sentiu muito que algumas pessoas, eu próprio, não estivessem presentes. Como no seu poema "Mataram João Ninguém", ela sempre estava pensando no destino dos que andam sós:

> "e João Morreu... ninguém ouviu
> Eu vou distribuir panfletos,
> Dizendo que João morreu.

Talvez alguém se recorde
Do João que falo, eu.
Falo daqueles mendigos que somos,
pelo menos em matéria de amor,
aquele amor que esquecemos de cultivar
o qual, com tanto dinheiro, ninguém jamais coroou".

Em julho passado, Herzer havia participado de um concurso na Assembleia Legislativa. Caso passasse, teria condições de ser efetivado. Não passou. Mesmo à entrada do exame, os responsáveis duvidaram de sua identidade: Um rapaz com o nome de Sandra Mara?

Logo veio sua exoneração. A burocracia da Assembleia Legislativa demorou para lhe pagar o que devia. Herzer demonstrava muita ansiedade. Em 5 de agosto, como também dez dias antes, dei-lhe alguns recursos para que pudesse pagar suas despesas diárias. Neste mesmo dia, entretanto, por diversas razões, Herzer escreveu:

MINHA VIDA, MEU APLAUSO

Fiz de minha vida um enorme palco
sem atores, para a peça em cartaz
sem ninguém para aplaudir este meu pranto
que vai pingando e uma poça no palco se faz.
Palco triste é meu mundo desabitado
solitário me apresenta como astro
astro que chora, ri e se curva à derrota
e derrotado muito mais astro me faço.
Todo mundo reparou no meu olhar triste
mas todo mundo estava cansado de ver isso
e todo mundo se esqueceu de minha estreia

pois todo mundo tinha um outro compromisso.
Mas um dia meu palco, escuro, continuou
e muita gente curiosa veio me ver
viram no palco um corpo já estendido
eram meus fãs que vieram me ver morrer.
Esta noite foi a noite em que virei astro
a multidão estava lá, atenta como eu queria
suspirei eterna e vitoriosamente
pois ali o personagem nascia
e eu, ator do mundo, com minha solidão...
morria!

Anderson Herzer

No dia 9 de agosto, Sandra Mara, como eu sempre a chamara, embora ela preferisse ser Anderson, conversou comigo sobre as suas preocupações. Procurei animá-la, dizendo que seu livro sairia em um ou dois meses, que oportunidades de trabalho não faltariam, ainda mais em vista de sua capacidade e boa vontade. Mas algo dentro de si parecia levá-la a uma terrível decisão.

Ela ainda conversou no meu gabinete com as pessoas que lá trabalham, Myriam, Lourivaldo e Sheila. Disse ao Lourivaldo que não poderia ir à reunião do dia seguinte, combinada com Myriam em minha casa. Lourivaldo lhe deu 500 cruzeiros, pensando ser esse o motivo. Herzer saiu da Assembleia com Vanderlice, tendo ambas passado num bar, onde tomou uma dose de três fazendas. Vanderlice ligou para minha casa, dizendo que poderia ocorrer algo trágico com o Anderson. Disse-lhe: "peça que me ligue logo". Mas ela havia se dirigido para o Viaduto 23 de Maio, e pensei que seria difícil encontrar uma pessoa pelas ruas. Deveria ter ido, mas me lembrei que Sandra Mara, após ter me mostrado a sua poesia, "Minha Vida, Meu Aplauso", e ter lhe dito que, embora bonita, não deveria pensar em morrer, havia me dito que se tratava apenas de força de expressão poética.

Infelizmente, por volta das 23h30 telefonaram-me do Hospital Gastroclínica dizendo que alguém havia levado para lá Sandra Mara Herzer, achada gravemente ferida embaixo do Viaduto 23 de Maio. Em seu bolso um envelope de *Optalidons,* indicando que dez comprimidos haviam sido tomados, e duzentos e poucos cruzeiros. Também um papel com meu nome e telefone. Estava muito mal e iriam transferi-la para o Pronto-Socorro do Hospital das Clínicas.

Lá a encontrei, em estado de choque, porém ainda consciente. Olhou-me nos olhos, apertou minha mão, disse-me que estava com muitas dores. Pediu-me que a virasse na maca, mas não era possível. Sua bacia havia fraturado em três lugares e havia perigo de hemorragia interna. O deputado e médico João Batista Breda, que lá me acompanhara, explicou-me que suas radiografias mostravam uma grande ruptura dos ossos da bacia. Na base, estavam distanciados 5 centímetros um do outro. Às sete horas da manhã ela piorou, ficou inconsciente. Ela precisava receber sangue. Enquanto eu estava no Banco de Sangue, tendo já feito a doação, vieram me avisar que não adiantava mais. Herzer faleceu às 9:30 horas da manhã de 10 de agosto de 1982.

Não sei ainda qual a pessoa que a achou na 23 de Maio, estendida no asfalto, com uma estrela do PT na lapela de seu terno, muito ferida, e que a levou para a Gastroclínica. Seria importante que pudesse se comunicar comigo e com os amigos de Herzer. Pois assim nos tranquilizaria a respeito de qualquer hipótese de uma morte provocada por terceiros.

Como ela própria disse muitas vezes, seu desejo era que esta obra fosse dedicada à causa dos menores. Sua irmã, Tânia Mara Peruzzo, e seus pais adotivos, concordaram que os direitos autorais do livro e da história de Herzer sejam destinados aos menores, aos movimentos em defesa dos menores marginalizados pela sociedade. O que ela queria, afinal, é que todas as pessoas se tornassem realmente seres humanos.

Conforme consta de sua pequena biografia no livro *Versejando*, com dados que ela própria forneceu: "Anderson Herzer, jovem poeta, escreve desde os 12 anos de idade, e brevemente verá o seu ideal realizado, através do seu primeiro livro. O livro contém denúncias sobre a Febem, onde esteve. O principal tema do livro é tentar diminuir as violências, corrupções e a morte de menores, que necessitam apenas de amor, compreensão e não serem massacrados pela sociedade".

Eduardo Matarazzo Suplicy
São Paulo, 27 de agosto de 1982

São Paulo, 26 de dezembro de 2006

Contardo Calligaris, que publica ótimos artigos na *Folha de S. Paulo*, escreveu no último dia 21 sobre a mudança de gênero, a propósito da retirada do projeto que permitiria qualquer cidadão mudar de sexo em sua certidão de nascimento. Este estava por ser votado pelo Conselho de Saúde Pública de Nova York.

Calligaris citou duas razões que justificavam o projeto: a) nenhuma pessoa pediria a mudança se a questão não fosse vital para ela; b) hoje, o estado de nossa ciência não permite que um conselho de especialistas assuma a responsabilidade de autorizar ou proibir uma mudança administrativa de sexo. Respeitar o sentimento e a vontade da pessoa é o mais importante.

Calligaris informa que as estatísticas variam muito sobre quem sendo mulher se sente homem, e vice-versa. Mas os casos existem. Recordei-me da história de Sandra Mara Herzer, nascida em Rolândia, no Paraná, em 1962. Um dia, ainda menina, uma triste notícia abalou a família. Seu pai, dono de um bar, fora assassinado. Sua mãe, se vendo em dificuldades, segundo ela, se tornou "uma mulher vulgar. Nem minha, nem de minha irmã; e nem de João, Pedro ou José. De todos e ao mesmo tempo, sozinha". Acabou pegando uma doença venérea e veio a falecer. Primeiro foi morar com sua avó querida. Quando esta faleceu, passou a morar com sua tia e tio, bem mais velho.

Com eles foi morar em Foz do Iguaçu e, pouco depois, em São Paulo, no bairro de São João Clímaco. Uma série de circunstâncias, como a descoberta de que sua tia tinha outro companheiro e a tentativa de seu tio de manter relações com ela, tornaram-na um tanto rebelde. Costumava sair com jovens para ir a uma lanchonete onde bebia cerveja ou coca-cola com *Optalidon*, o que fazia com que muitas vezes não conseguisse acordar para ir às aulas. Apaixonou--se por um rapaz de uns 30 anos, de apelido *Bigode*, que faleceu num desastre de motocicleta. Para homenageá-lo fez uma tatuagem em seu pulso, *Big*.

Seus tios a internaram na Febem onde ficou dos 14 aos 17 anos e meio. Passou por diversas unidades, no início no centro de triagem, depois no Pacaembu e em seguida na Vila Maria. Viu de perto os maus-tratos, as angústias e dificuldades de todos os internos como ela. Mas Sandra Mara Herzer tinha uma forma de enfrentar aquela realidade. Escrevia belas poesias. Na Febem se tornou líder. Organizava recitais e peças de teatro. Pouco a pouco, percebeu que, internamente, sentia-se mais masculina do que feminina. Cortou o cabelo como se fosse um rapaz. Começou a usar calça jeans e camisetas e a se portar como se fosse homem, mesmo ali entre as meninas da Febem. Passou a assinar seus poemas como Anderson Herzer.

Eu era deputado estadual, em 1979, quando Lia Junqueira, do movimento em Defesa do Menor, me procurou para explicar que havia uma moça de 17 anos na Febem que precisava de alguém que lhe proporcionasse uma oportunidade de trabalho e que se responsabilizasse por ela perante o juiz de menores. Assim ela poderia sair daquela instituição já que não havia cometido qualquer delito. Quando ouvi sua história, convidei-a para ser estagiária em meu gabinete. Li seus poemas e ouvi a sua vontade de publicá-los. Sugeri que escrevesse a história de sua vida. Em 1980, Rose Marie Muraro e Leonardo Boff aprovaram a publicação do livro pela Editora Vozes.

Sandra – ou Anderson, como ela preferia – prestou um concurso para se efetivar na Assembleia. O fiscal estranhou: "Mas como você se veste de homem e apresenta uma carteira de identidade de mulher?" Ela ficou tensa e foi reprovada. Veio me mostrar um comovente poema, *Minha vida, meu aplauso*, que terminava assim:

"Esta noite foi a noite que virei astro/ A multidão estava lá, atenta como eu queria/ Suspirei eterna e vitoriosamente/ Pois ali nascia o personagem/ E eu, ator do mundo, com minha solidão.../ Morria!"

Procurei animá-la, disse que seu livro logo seria publicado e seria um sucesso. Mas Herzer era muito sensível. Não aguentou. Dois meses depois preferiu se transformar numa estrela eterna. Atirou-se do Viaduto 23 de Maio. Seu livro *A queda para o alto* está hoje na 24ª edição. Trata-se de um dos mais importantes testemunhos, ainda válido, sobre tantos adolescentes – e tanta gente que cresceu – ainda incompreendidos no Brasil.

Publicado no *Jornal do Brasil* em 26/12/2006

São Paulo, 31 de março de 1980

Prezado Dr. Humberto Marini Neto

Encaminho através de V. As. o ofício ao MM. Sr. Juiz de Menores, solicitando a concessão de licença à menor Sandra Mara Herzer sair da Febem para trabalhar em meu gabinete, na Assembleia Legislativa.

Agradecendo a sua atenção por ocasião de nossa visita a esse estabelecimento, venho solicitar que entregue ao portador desta, Sra. Myrian Taukin, os trabalhos da menor Sandra Mara Herzer que, conforme sua vontade, ficarão aos meus cuidados.

Respeitosamente,

Deputado Eduardo Matarazzo Suplicy

Ilmº Sr.

Dr. Humberto Marini Neto

DD. Diretor da Unidade da Febem de Vila Maria

São Paulo – Capital

São Paulo, 31 de março de 1980

MM. Senhor Juiz:

Venho solicitar ao MM. Juiz de Menores Titular da Capital, através do Diretor da Unidade da Febem de Vila Maria, Dr. Humberto Marini Neto, que conceda permissão à menor Sandra Mara Herzer para sair da Febem a fim de trabalhar junto ao meu gabinete na Assembleia Legislativa de São Paulo. Por não dispor de vaga no momento, não é viável o registro de Sandra Mara como funcionária da Assembleia. Comprometo-me, porém, a prover o suficiente para a sua pensão (moradia e alimentação) durante os meses de abril, maio e junho, pelo menos, bem como o necessário para o seu registro como autônoma no INPS.

Em meu gabinete, a Sandra Mara terá condições de realizar um trabalho interessante que poderá servir para que encontre novas perspectivas em sua vida. Ademais, nesses três meses, até que complete 18 anos, verificarei junto a uma editora a possibilidade de aproveitar os seus trabalhos para eventual publicação, e procurarei ajudá-la a encontrar um trabalho regular.

Respeitosamente,

Deputado Eduardo Matarazzo Suplicy

Meritíssimo Senhor Juiz

Dr. Milton Silveira

Rua Asdrúbal do Nascimento, 282

São Paulo – Capital

Al perderte...

Al perdeste yo a ti
Tú y yo hemos perdido
Yo por que tú eras
Lo que yo más amaba
Y tú por que yo era
el que te amaba más.
Pero de nosotros dos
tú pierdes más que yo:
Porque yo podré amar a otras
como te amaba a ti,
pero a ti no te amarán
como te amaba yo.

(Ernesto Cardenal)

Ainda sob o impacto de sua última fuga, esta sem retorno, me foi pedido que escrevesse alguma coisa. Como se tornam inúteis as palavras frente ao seu grito de raiva de uma sociedade injusta e cruel!

Porém, de repente, me veio à memória a história de Sandrinha, de 13 anos de idade, tão carente de amor, e que encontrou aquele rapazinho que por ela se apaixonou. Seu apelido era Bigode.

Sandrinha, ao conhecê-lo, passou a conhecer todas as sensações de afeto, de segurança, e até de ser amada, passou a ser importante!

Foram poucos dias de vida, porém muito bem vividos. Bigode morreu no asfalto, num acidente de moto. Sandra, que agora conhecia o amor, não podia deixar Bigode morrer. Assim, num passe mágico, Bigode continuou vivendo através de Sandra e ela se transformou em todas as outras mulheres do mundo. As depressões são profundas nos momentos raros em que Bigode desaparece e Sandra tem que assumir Sandra. Por isso mesmo, ela policiava todos os seus momentos para impedir a ausência de Bigode.

Quero acreditar que, naquela noite chuvosa de agosto de 82, num descuido seu, Bigode se ausentou e repentinamente ela se sentiu desamada. Sem amor, sem Bigode, desesperada saiu à sua procura, e repentinamente percebeu que só havia uma maneira de encontrá-lo, não tinha outra saída. E ao cair no asfalto, subiu com Bigode para nunca mais descer...

Lia Junqueira
São Paulo, 25-08-82

Apresentação

Para que nos apresentemos, vamos a uma poesia, na qual eu me transfiguro, a seguir iniciamos o nosso trabalho. Boa leitura.

A GOTA DE SANGUE
Eu decaí, eu persisti
tentei por todos os meios ser forte.
Lutei contra o tempo,
chorei em silêncio
gritei seu nome ao vento.
Sou filho da gota
fui templo de miséria
meu pai, um perdido
minha mãe, a megera.
Cresci vendo prantos,
dormi em meio à mata
chorei gotas sanguíneas
sou o pecado, sou a traça.
Eu ouvi um grito de desespero,
vi a lenta corrupção,
vi o olhar do corruptor,

vi uma vida na destruição
eu vi o assassinato do amor.
Tentei, venci, a vitória conquistei
porém um dia faleci.
Hoje estou em sua lembrança
eu sou sua alma oculta
e serei sua esperança.
Anderson Herzer

Parte I

DEPOIMENTO

I

Quisera eu ter um início, movido por uma varinha mágica, mas o modo mais simples e sincero seria começar relatando minha vida, sem esconder fatos desagradáveis, pois esses fatos me trouxeram experiências que às vezes me pareciam sem solução, mas me ajudaram a reconhecer como muitos dizem: "O único problema sem solução é a morte". Digo isso por ter-me sentido por muitas vezes à beira do abismo, mas sempre, na última hora, havia uma saída ou uma mão amiga a me auxiliar num caminho com probabilidade de iluminação.

Infelizmente, muitos acontecimentos de minha infância eu não soube na época, portanto existem coisas em que eu não posso me aprofundar muito, por não ter dados suficientes.

Nasci em uma cidade do interior, Rolândia, PR, no dia 10 de junho de 1962, sob o signo de Gêmeos.

Minha mãe, Lurdes da Silva Peruzzo, meu pai Pedro Peruzzo, que me lançaram ao mundo com o nome de Sandra Mara Peruzzo.

Não me recordo de ter algum dia conversado com nenhum deles.

Gostava muito de minha avó (paterna), e estava sempre em sua casa em Rolândia. Minha mãe, na época, residia em Arapongas.

Eu não sabia o porquê eu não vivia diariamente com minha mãe e meu pai e sim com minha avó ou minha tia, as duas residentes em Rolândia.

Um dia a casa de minha tia se tornou tumultuada, muitos parentes reunidos, muita correria, e depois a notícia...

Notícia fúnebre, que doeu bastante em meu peito pequeno; esta notícia parecia ter valor somente aos adultos, mas na verdade eu também a entendi perfeitamente.

Mataram meu pai a tiros, tiros que atingiram seu pescoço, dentro de um bar que ele possuía.

O assassino, dizem ter sido um gaúcho que o matara por uma vingança prometida.

Deveria eu ter uns três a quatro anos nesse tempo.

Não me recordo de meu pai, a única lembrança que trago dele é a imagem de uma cena que sempre me recordo...

Eu e minha irmã, em cima de duas cadeiras, ajoelhados, olhando o corpo de meu pai em seu caixão.

Restou minha mãe, da qual eu não gostava muito, talvez pelo modo que ela nos tratava.

Eu me recordo, às vezes fazia tantas coisas para chamar sua atenção mas ela nunca ligava.

Descobri mais tarde...

Minha mãe era uma mulher vulgar. Nem minha e nem de minha irmã; nem de João, Pedro ou José. De todos, ao mesmo tempo sozinha.

Nós morávamos ao lado da casa de minha avó (materna), que cuidava de nós; já éramos em três irmãos, eu, Tânia, Rosana, ainda pequena.

Minha mãe saía todos os dias quando o sol já estava para ir embora. Trancava a porta e nos deixava a sós.

Rosana chorava muito, talvez de fome, pois eu e minha irmã mais velha, quando tínhamos fome e pedíamos algo para comer, recebíamos de minha mãe uma caneca de água com açúcar; aquele era o único alimento ali dentro.

No meio da noite, Rosana, assustada, chorava desesperadamente e então eu e Tânia abríamos a janela e começávamos a gritar pelo nome de minha avó. Demorava muito, mas ela ia até lá e nos tirava pela janela do quarto.

Algum tempo depois, estávamos na casa de minha outra avó, aquela que eu tanto adorava, quando passaram por lá algumas mulheres muito "amigas" de minha mãe.

Estavam com malas e sacolas, conversaram um pouco com minha família no portão.

Eu, brincando ao redor de algumas cadeiras, ouvi a conversa.

Elas contaram que estavam voltando de São Paulo, onde assistiram ao enterro de minha mãe, Lurdes Peruzzo.

Disseram que ela precisou ser operada, mas seu corpo já tão fraco, contendo apenas a parte externa, pois interiormente seus órgãos estavam destruídos e sem modo de salvação.

Fiquei triste, com vontade de chorar, apesar de tudo.

No momento exato, não tive meios para me mover, mas, de repente, pensei em um modo de fugir daqueles comentários.

Andei em direção aos fundos da casa, onde existia uma pequena horta. Foi lá que eu chorei, sem que ninguém visse, de cabeça baixa, fingindo que estava colhendo abobrinhas.

Depois tudo isso se acabou; o ódio, o amor envolveu; a nuvem o vento levou; o pranto, a vida nova enxugou; e só ficaram a cicatriz e eu, tudo o que de minha infância restou.

II

Parecia que tudo havia chegado ao fim, mas logo descobri que era apenas o início de uma nova vida.

Fui adotado por minha tia A. e por meu tio B.; desde então Sandra Mara Peruzzo se tornou uma parte do passado, a partir daquele momento eu era uma dependência do futuro, eu era Sandra Mara Herzer.

E então me adaptei a ter meus tios como meus pais.

Passou-se algum tempo e nos mudamos para Foz do Iguaçu.

Eu gostava muito do lugar, das matas, onde às vezes eu me aprofundava, para descobrir o que existia depois de cada árvore.

Um dia, me lembro que andei muito, até que cheguei a um lugar cheio de cogumelos. O povo que residia ali contava que os cogumelos pertenciam a um saci, e aquele local era temido por alguns; talvez fosse lenda, ou talvez poderiam mesmo ter visto um saci.

Sem querer, ou talvez por curiosidade, quebrei um dos cogumelos e, em seguida, ouvi um assovio estranho e bem próximo de mim; estremeci, só existia mato, e eu corri matagal afora, até que cheguei à vizinhança contando o que havia acontecido, e todos me afirmavam que era o saci que estava atrás de mim.

Nunca mais quis conhecer aquele local: eu estava à procura de aventuras, mas o que aconteceu não era bem o que eu esperava.

Eu e minha mãe íamos nas férias para Rolândia, visitar os familiares e principalmente meus avós.

Mas um dia, que decepção: minha avó querida faleceu.

Ela já há muito tempo sofria de problemas cardíacos, até que seu puro e nobre coração não resistiu mais.

Fomos avisado e partimos logo em seguida, rumo a Rolândia.

Era longe, estava caindo sobre o teto do ônibus a geada, fria e impiedosa.

Chegamos a Rolândia. Havia, perto da casa de minha avó, uma estação de trem, e para se chegar à casa dela era necessário passar por cima dos trilhos.

Eu adorava pular os trilhos do trem, mas, naquele dia, os trilhos tão bonitos pareciam ter se modificado, o ar daquele local estava com um gosto amargo.

E, nos trilhos, não havia o trem, era como se ele tivesse partido também para nunca mais retornar.

O velório foi na casa de minha tia, as pessoas chegavam dos cantos mais simples da cidade, para prestar suas últimas homenagens a uma pessoa muito querida por todos, minha avó, Antônia Bononi, a velha senhora benzedeira.

Naquela noite, adormeci sobre um colchão, bem perto do caixão de minha avó.

Ela tinha um rosto tão meigo que nem parecia estar morta, parecia estar sonhando com um conto de fadas; certamente o conto de fadas que ela iria contar pra mim no dia seguinte.

Mas eu já sabia que nunca mais ela iria me contar nada ao amanhecer, e tinha certeza de que a única a me contar esse longo conto seria minha própria vida.

III

Voltamos para Foz do Iguaçu. O tempo foi passando e levando com ele as lágrimas de um coração quase sempre ameaçado pela destruição.

Meu pai, certa vez, resolveu construir uma casa, para onde nos mudaríamos futuramente.

Às vezes eu ia até lá, olhava, estava ficando bonita a casa.

Uma noite estávamos em casa e houve uma forte ventania; eu olhava pela janela, via as árvores que se tornavam negras com os reflexos dos relâmpagos.

No dia seguinte, quando fomos até a casa que já estava quase terminada, meus olhos se entristeceram, olhei para meu pai e minha mãe e senti que havia sido muito doloroso para eles e para meus dois irmãos.

Mais um sonho inacabado, mais uma desilusão dolorida, a ventania fora muito forte, nossa casa estava destruída.

Mas a família, otimista, iniciou novamente, pensando muito no presente e futuro e esquecendo esse dia que se tornou passado.

A casa foi construída, sem barreiras desta vez, mas até hoje me recordo de tudo aquilo que o vento fez.

Mudamos para lá e haviam dois meninos residentes na casa ao lado, que foram meus amigos inesquecíveis, Artur e Duda.

Eles tinham um macaquinho, chamado Miquinho. Pela manhã eu ia até lá e, às vezes, levava o Miquinho para brincar comigo. Ele era muito inteligente e adorava assistir televisão ou brincar na mina d'água.

Eu, Artur e Duda (às vezes) pegávamos escondido alguns pedaços grandes de gelo e, sem que ninguém visse, colocávamos em cima de uma carroceria de caminhão que havia lá.

Nós tirávamos os sapatos e as meias e brincávamos; ganhava o jogo quem conseguisse ficar durante mais tempo em pé em cima do gelo.

Era muito divertido, nós dávamos muitas gargalhadas e, quem passava pela rua, ficava sem saber o porquê da nossa alegria.

Um dia ganhei um presente muito lindo: um cachorro muito esperto, ao qual eu dei o nome de Rex.

Rex, tanto como eu dele, gostava muito de mim. Eu acordava cedo, da porta gritava seu nome; ele vinha correndo de sua casinha, e, ao meu redor, pulava e latia.

Havia uma espécie de ladeira no quintal, que era enorme, e lá embaixo bastante areia.

Eu e Rex subíamos a ladeira e depois descíamos correndo e nos jogávamos na areia; Rex se jogava e depois rolava até o solo, e tornava a subir a ladeira, latindo lá do alto.

À noite eu o colocava em sua casinha, e o acariciava até que ele dormisse, depois eu ia dormir, sonhando com o amanhecer, para que eu pudesse dar o banho diário em Rex.

Um dia acordei, e da porta, como de costume, gritei por ele; ele não estava lá, contei a minha mãe que me disse para eu ter calma.

Mas Rex demorava. Fui até o monte de areia, subi a ladeira e, ao olhar para a rua, meus olhos se encheram d'água.

Rex, deitado na calçada, com sangue por todo o corpo; perdi meu melhor amigo. Meu Rex já estava morto.

Peguei-o com cuidado no colo, e levei-o para minha casa, enterrei-o junto ao monte de areia; sem falar, eu rezava e chorava.

IV

Quando eu estava com sete anos, nos mudamos para São Paulo.

O tempo foi passando, e eu me tornando uma criança adulta, que lutava contra tudo e contra todos que viessem a me aborrecer com opiniões sobre fatos contra os quais eu me colocava: a agressividade parecia ter se infiltrado no meu sangue.

Na escola, quase sempre de castigo; em casa os vizinhos reclamavam quando eu fazia alguma arte, para os meus pais.

Minhas brigas na escola eram por coisas mínimas: jogos, discussões em sala de aula e na hora da saída era impossível impedir um atrito maior. Em uma de minhas brigas, por infelicidade, o menino tirou de sua pasta uma régua, eu procurei pela minha, mas o único objeto que encontrei no momento foi um compasso.

Eu me atirei sobre ele apenas com o desejo de fazê-lo calar-se, mas ele preferiu ir em frente.

Resultou-me, no dia seguinte, uma suspensão por três dias de aula, e ao menino alguns arranhões e cortes leves pelo corpo.

Pedi desculpas a ele, ele aceitou mas, na semana seguinte, quando eu retornava às aulas, ele tentou me atingir pelas costas.

Perdi minha confiança nas pessoas, eu havia confiado demais; senti imensa dor no peito. À noite desabafei, chorando baixo em meu leito.

Com nove anos, eu me modifiquei um pouco. Aos domingos, jogava bola no campinho, matinê à tarde, às vezes brincava de carrinho num terreno baldio, construía barracos no mato e saía à procura de bichos, com meu revólver de espoletas e um pedaço de pau.

Numa tarde, porém, o dia me prometeu maiores emoções, pois deparei, em meio à mata, com uma cobra toda envolta em seu próprio corpo, em cima de uma grande pedra.

Subi na pedra, por trás. Minha inimiga permaneceu inerte, como se estivesse sem vida.

De súbito, acertei sobre ela uma paulada; nada aconteceu, nenhum movimento. Ataquei-a novamente, com mais força e, de repente, não me senti mais o bastante forte para enfrentá-la.

Aquele ser vivo, que me parecia insignificante, tornou-se enorme, vi sua cabeça, até então coberta pelo resto do corpo: não tive nenhuma chance; ela deu um salto e, assustado, me atirei para o lado, rolando pedra abaixo.

Fui proibido de voltar a brincar no morro: meu canto, onde eu guerreava inocentemente, onde soltava pipas, estava ameaçado; e eu estava só, pois ninguém se importava com aquele velho morro.

Hoje ele não é mais mata e sim depósito de lixo. Ninguém das redondezas se preocupou em limpá-lo.

A única ideia dos moradores foi depositar coisas imprestáveis no lugar que me serviu a tantas experiências, com vitórias e derrotas, mas que sempre terá valor para mim: o Velho Morrão.

V

Como se diz, o tempo não passa, nós é que passamos. Mas a minha infância, tive a impressão de que o tempo carregou consigo.

Mudamos para Mandaguari e, seis meses após, retornamos para São Paulo.

Estava eu com catorze anos mas, apesar dessa idade, fugia sempre da realidade.

Às noites, não dormia mais em casa; ao entardecer eu saía e só voltava no dia seguinte.

Passava as noites no "Dog", um bar-lanchonete existente lá perto.

Apelidaram-me "Nenê" por eu ser a pessoa mais nova ali. Os homens que frequentavam o local no mesmo horário que eu, isto é, a noite toda, teriam trinta anos, em média.

Dificilmente alguém de minha idade entrava lá, mais a turma me conhecia e eu, sem saber, cada dia me perdia mais.

Bebia a noite toda, a começar pela cerveja. Na madrugada já estava com um copo de caipirinha ou fogo-paulista nas mãos, apesar da proibição de venda de bebidas alcoólicas para menores.

Muitas vezes, acordava em minha cama sem saber como havia chegado lá; mais tarde meus pais me repreendiam, dizendo que "um bando de maloqueiros" havia me levado até em casa.

A bebida já era meu alimento diário. Sem o álcool, eu não era nada, brigava muito em casa, mas bastavam algumas doses e me transformava, jogava palitos, baralho, participava de rachas de carros e motos, em São Bernardo do Campo. Porém, se não bebesse nada, só tinha vontade de fugir, de brigar, de ver sangue alheio ou meu mesmo.

Já há muito tempo eu gostava do cheiro de álcool. Lembro uma vez em que minha mãe foi à casa de uma vizinha enquanto eu assistia à televisão; aproveitei, fui até a geladeira e tomei grandes goles de pinga, voltando a sentar-me no sofá, rapidamente. Depois, como minha mãe demorava, eu ia bebendo.

Quando ela chegou, eu estava no sofá e, segundo soube depois, comecei a repetir as respostas das coisas que ela me perguntava, tornando-me cada vez mais desconexo. Minha mãe, confusa, levou-me ao pronto-socorro, onde fui medicado com soro.

Esse foi o começo, pois, apesar dos pesares, eu gostara muito do efeito, sentia-me feliz; naquele mundo não havia tristeza, não havia ódio, era como uma viagem a um mundo perdido. Na ocasião pensei que aquela fosse ser a primeira e última vez. Não sabia então que, nos caminhos que levavam àquele mundo perdido, eu iria me perder cada vez mais, e com menos possibilidade de retorno.

Pouco tempo, após, fui internado na CTE (Comunidade Terapêutica Enfance).

Cheguei no sábado e, no domingo, fugi pelo portão de arame farpado; corri, sem saber o caminho, andei por montes e estradas. Consegui chegar em casa à noite.

Tive tempo apenas de tomar um banho. Assim que terminei, me pegaram à força e me entregaram novamente na CTE.

A ironia das situações deve ser, neste ponto, colocada: por estranho que pareça, devo ressaltar o paradoxo. Apesar de tudo, naquela lanchonete, eu nunca havia provado nenhuma droga, mas a Comunidade Terapêutica Enfance não me guardou desse obstáculo. Lá se cuidavam de adolescentes (homens e mulheres) e também de crianças.

Entrei no grupo das adolescentes e um dia falaram-me de um comprimido chamado *Optalidon*; uma das meninas do nosso grupo disse já ter experimentado, e que, na saída do outro final de semana, ela traria para que nós experimentássemos.

E assim ocorreu de ela trazer, todas nós experimentarmos sem que ninguém descobrisse.

Decorrido um mês, saí para passar o Ano Novo fora, na companhia de meus pais.

Aí, pela primeira vez, comprei os tais comprimidos, ingeri e, logo depois, os efeitos tomaram conta de mim.

Eram nove horas da noite quando meus pais me entregaram de volta à comunidade, dizendo que eu não tinha condições de ficar em casa.

No dia seguinte, "Ano Novo", lá estava eu, sem ninguém; as crianças e os adolescentes tinha ido para a casa de seus pais.

Quando todos retornaram, já estava em meu estado normal, fui separar algumas roupas que havia trazido de casa mas, para meu espanto, sem saber como fizera aquilo, havia em minha sacola vários comprimidos de *Optalidon*.

Tomamos em cinco adolescentes, sendo três meninos e duas meninas.

Havia no pátio um pinheiro enorme, todo enfeitado por ocasião do Natal...

O efeito da droga nos deixara inquietos e, dentre muitas outras artes sem testemunhas, uma delas foi descoberta, pois a fizemos em público. Subimos no telhado de uma das casas, com diversos rolos de papel higiênico e dali os jogávamos, segurando em suas pontas, e o lindo pinheiro de Natal ficou envolto em cor-de-rosa.

No dia seguinte, após uma reunião de administração, nós cinco fomos expulsos da Comunidade Terapêutica Enfance.

Nossos pais foram avisados para que nos fossem buscar, o que nos dava uma sensação culposa. Restava, porém, uma coisa boa, eu estava livre novamente.

Quando os pais dos que haviam sido expulsos começaram a chegar, houve uma grande algazarra, os meninos e meninas subiam em cima dos carros, gritando... Liberdade!

VI

Ao chegar em casa, o ambiente era péssimo, ninguém falava, todos apenas se remoíam em pensamentos quando olhavam para mim.

Pensei estar livre, mas me enganei. Comecei a fazer um tratamento com uma psicóloga que eu não suportava. Depois um médico que me pediu que fizesse um eletroencefalograma, constatando-se uma disritmia cerebral.

O médico explicou que não era nada grave, que poderia ser curado, bastava tomar os medicamentos.

Eu bebia, mesmo escondido, e por esse motivo não pude tomar os remédios receitados.

Não havia mais desculpas, eu não tive tanto trabalho para tentar me afastar das drogas quanto da bebida; o álcool não me dava uma chance, ou talvez eu mesmo não quisesse me dar uma chance.

Fui internado no Instituto Eldorado de Repouso, onde convivia com todo tipo de gente, inclusive deficientes mentais.

Lá eu fui submetido a alguns exames e liberado após três semanas, isso porque prometi a meus pais que não iria mais beber e nem sair à noite.

Mas, para mim, aquilo era apenas uma fuga. Saindo de lá, fiquei algum tempo em casa, retornando em seguida aos bares e às pândegas noturnas.

Aí, a grande ameaça; se eu não me comportasse melhor – apesar de estar bebendo menos, que raramente se notava – eu iria ser internado na Febem.

As ameaças foram continuando, meu pai me levava até lá mas não me aceitavam, pois eu não trazia problemas a ninguém, apenas por beber, sair à noite, não aceitavam como motivo justo para uma internação até a maioridade em um juizado de menores.

Mas um dia, chegara em casa pela manhã, mal me deitara para dormir, fui acordado com alguém me chamando. Olhei ao redor de minha cama e entendi tudo: meu pai, minha mãe, uma mulher e um policial, todos me fitavam.

O policial mandou que me levantasse, o que fiz, pedindo para ir ao banheiro lavar o rosto; mas me pegaram pelos pés e pelos braços, me puseram na perua e fui entregue ao juizado.

Quando a perua saiu da frente de minha casa, aquilo tudo me deu um gosto amargo na boca. Minha mãe chorava no portão... Para que chorar se ela própria me internou em três lugares seguidos? Para que fingir, se todos diziam querer livrar-se de mim, como se eu fosse um objeto qualquer?

Quando entrei no pequeno quartinho de triagem, onde fui entregue, olhei para aquelas meninas, ouvi o que se conversava e percebi rapidamente que aquela iria ser a fase mais difícil e dolorosa de minha vida.

Febem... Um encontro direto com a marginalização!

VII

Faço uma pausa para retornar um pouco no tempo.

Este capítulo, escrito como qualquer outro, em folhas iguais, mas fatos vividos em momentos diferentes, e talvez mais angustiantes que quaisquer outros, escrevo com uma certa insegurança, por envolver nome de outras pessoas, as quais, apesar de tudo, respeito muito, e não gostaria de magoar.

Mas, como eu disse no início desse relato, procuro fazer de minhas experiências, do meu dia a dia, um caso aberto a quem quiser saber; portanto, apesar da dificuldade em relatá-los, preciso continuar usando da sinceridade para que, quem quer que leia esta história, verídica em todos os pontos, não tenha quaisquer dúvidas em relação a este relato, ao meu mundo relatado.

Refiro-me a minha ida à Febem, que não deixei muito clara anteriormente.

Meus problemas em minha casa se iniciariam, basicamente, quando houve um desentendimento entre mim e meus pais adotivos. As coisas começaram na infância. Esse desentendimento eventualmente prosperou pelo temor permanente em que vivia, que meu segundo lar fosse destruído, tal qual o primeiro. Com medo que tudo se arruinasse, novamente, tentei interferir na vida de minha mãe... Não considerava correto e até hoje continuo a pensar assim, que uma mulher casada, mãe de filhos, tivesse, além da família, outra pessoa com quem se ocupar, ou seja, dividir um amor, prometido ser eterno, com outro homem que não fosse meu pai.

Minha mãe é bem mais nova que meu pai, entre os dois deve haver uma diferença de mais ou menos uns vinte anos.

A primeira coisa que me machucou muito foi ver que minha mãe e meu pai passaram a dormir em cama e em quartos separados.

Quando eu era um pouco mais criança, entre uns sete e oito anos, não dava importância ao fato, aceitava tranquilamente.

Minha mãe saía às vezes com um homem, antigo amigo da família, desde os tempos em que morávamos em Rolândia e, nessas ocasiões, por motivos que eu desconheço, levava-me junto a passeios como por exemplo à praia, Estoril e outros mais. Eu me divertia, pois, afinal, estava passeando, ganhando doces e outras coisas, dependendo de minha vontade.

Mas com o decorrer do tempo esses passeios começaram a ser algo segredado pelos dois; não me levavam, pois eu já havia começado a insinuar que aquele tipo de relacionamento era totalmente errado.

Meu pai tinha uma perfumaria. Minha mãe muitas vezes vendia esses produtos e ia até algumas casas entregá-los.

Um dia estava eu pronto para ir à escola, quando ela me disse que ia fazer algumas entregas. Eu não pensava em nada, quando notei que ela se arrumara muito bem, para uma simples entrega.

Deixei que ela terminasse, me demorando em casa, arrumando meus materiais escolares, até que ela saísse.

Ainda fiquei na dúvida; depois, como num impulso, tomei a decisão de perder um dia de aula para descobrir se ela havia me contado a verdade.

Tinha uma bicicleta e a fui seguindo à distância, até que a vi chegar perto de um posto de gasolina, paralelo à Via Anchieta. No posto havia alguns carros e uma perua antiga estacionados. Ela passou pelo posto, atravessou as duas vias da Av. Anchieta. Escondi-me atrás da perua que estava parada no posto e de lá vi, numa pequena elevação do terreno, o carro que eu conhecia muito bem. Havia uma pessoa dentro.

Ela se aproximou, pelo lado do motorista, conversou um pouco, talvez uns três minutos, deu a volta, entrou no carro e este arrancou.

Voltei para casa, passei a tarde pensando em como fazer para entrar nesse assunto com ela: queria colocar as cartas na mesa.

Por volta das dezessete horas ela retornou, e eu lhe perguntei se ela havia ido entregar os produtos. Respondeu que sim.

Convenci-me que ela não iria ser sincera comigo e disse-lhe que não havia ido entregar produto algum; contei-lhe que eu a havia seguido e que a vi saindo com Guido, o homem com quem antes saía levando-me junto.

Ela negou o fato, e eu fui dizendo tudo em todos os detalhes, onde eles haviam se encontrado, os gestos que pude gravar, enfim; e ela continuava a me desmentir, chegando até ao extremo de mostrar-me uma quantia em dinheiro dizendo que era a quantia paga pelos produtos entregues. Isso provocou uma discussão muito grande entre nós dois, seguindo-se de uma fuga minha. Saí de casa e fui andar a esmo. Não me interessava onde iria chegar, o importante era descobrir "por que" na minha vida só pude ter lares inseguros e repletos de mentiras e traições. Penso que muitas pessoas não sentiram o quanto dói esse sentimento de culpa por ter nascido. Muitos adultos que fazem o mesmo não dão importância aos filhos, achando que eles não estão sentindo nada ao ver seus genitores separados. Mas para mim era o mesmo que separar uma parte de minha pessoa, uma metade para cada lado, sem perguntar ao menos para que lado se quer ir, sem desejar saber o que o filho pensa a respeito. É-me difícil explicar, talvez até nem haja explicação. Para uma pessoa simplesmente satisfazer-se por um momento, trazer a outras pessoas imagens que não se apagam jamais de sua mente: traição, infidelidade, leviandade, tudo num misto de angústia e sofrimento.

A pergunta que me fica é se a satisfação de um momento justifica submeter marido, filhos ao sofrimento e à angústia de imagens que jamais se apagam da mente: simulação, subterfúgio, traição?

A noite chegou, meu pai entrou em casa, olhei para ele, as dúvidas fervendo em minha cabeça, não conseguia raciocinar direito, estava muito confuso sobre tudo, não sabia o que era melhor, o que era certo fazer diante de uma situação que me dizia muito respeito, pois eu adorava meu pai e não suportava a ideia de que alguém o fizesse sofrer. Ele era capaz de entender-me melhor que minha mãe, e eu não queria que ele fosse deixado de lado sem perceber, queria vê-lo feliz ao lado de minha mãe, queria ter uma família; pelo menos uma vez.

Decidi contar tudo a meu pai, sem esconder-lhe nada, desde o começo, desde quando eu saía junto com minha mãe e aquele homem. Falei com calma, só eu e ele, eu queria ver a sua reação, queria tentar fazer com que ele me dissesse se já sabia de alguma coisa.

Meu pai abaixou a cabeça, percebi que foi um golpe duro para ele, mas não me disse nada, apenas saiu da sala em direção à cozinha sem olhar e sem perceber que meus olhos o seguiam, tentando dizer-lhe que eu estava sentindo também quase o mesmo que ele.

Na manhã seguinte, eu ainda estava em minha cama, acordei com vozes altas na cozinha. Percebi que minha mãe, meu pai e meus dois irmãos estavam discutindo. Ela chorava, desmentindo o que eu havia contado, mas parece que meu pai já tinha alguns argumentos para provar que eu estava dizendo a verdade. Meu irmão mais novo a repreendeu bravamente e o mais velho, como sempre carinhoso, tentava acalmá-los e fazer com que parassem de discutir. Ao mesmo tempo deixava transparecer em seu tom de voz que era contra esse proceder de minha mãe.

Quando todos saíram, eu estava na sala fazendo os deveres de casa, minha mãe veio da cozinha, chorando, dizendo que eu havia destruído a família deles, como se eu não fizesse parte da mesma, que eu não perderia por esperar, eu iria pagar muito caro por isso.

Mas, mesmo depois desse choque familiar, em outra ocasião, ela o recebeu em casa. Estávamos os três na sala, ela o convidou para tomar um café, e os dois se dirigiram à cozinha. Fiquei na sala, como se não tivesse percebido que eles haviam saído de lá; logo, na ponta dos pés, andei em direção à cozinha pelo corredor e, no fim do mesmo, permaneci meio escondido, olhando bem de perto os dois que, encostados na parede da cozinha, abraçados, se beijavam.

Depois que obtive certeza do que meus olhos viam, fiz barulho com os pés para que notassem minha presença, ficaram encabulados, sem saber como se mover diante de mim, que os olhava com os olhos fixos, sem piscar.

Inventaram desculpas para explicar-me o que faziam tão próximos um do outro, mas eu não tinha dúvidas, eu não havia chegado lá naquele momento, antes de fazer barulho para que me notassem, olhei bem para não ter dúvidas futuras. Esse caso foi encerrado quando estando meu pai em casa, e esse homem, o Guido, chegou. Conversaram e meu pai parece tê-lo proibido de voltar à nossa casa.

Mas, minha mãe, até hoje me fala de tudo que ela me deu e de tudo que eu fiz para ela em retribuição. É certo também que quando ela me disse que eu haveria de pagar caro pelo que fiz, naturalmente não avaliava, nem avalia, quão caro foi pagar por esse modo de vingança que ela escolheu.

Esse fato, entretanto, não é tudo e talvez nem mesmo seja o principal porquê de meu desentendimento e de minhas fugas daquela casa, que quando em cada lugar uma marca à qual corresponde uma cicatriz que às vezes recomeça a sangrar.

Um dia, durante a tarde, eu estava ajudando meu pai em sua perfumaria. Minha mãe, não me recordo por qual motivo, não estava em casa.

Talvez meu pai já pensasse em fazer isso antes, ou talvez tenha sido algo que ele pensou naquele momento, mas estava eu tapando alguns vidros de perfume, quando senti seu corpo tocar no meu corpo, e suas mãos me apertaram, aquelas mãos que antes eram tão dóceis e tão paternas, tornaram-se imundas e nojentas. Sim, meu pai me desejava. Eu me virei contra ele, estupidamente, tentando afastá-lo de mim. Consegui me livrar de suas garras sujas, correndo em direção à porta: mas ele me alcançou e eu, tentando fugir, me debatia. Ele se irritou e golpeou com toda a sua força o meu braço esquerdo. Depois, pelo visto, se arrependeu e me soltou. Subi a escadinha que dava na porta de minha casa, meu braço doía, logo após ele chegou atrás de mim. Eu estava sentado em uma cadeira, com um pano úmido em salmoura, envolto em meu braço, que já estava inchado e com uma leve cor escura, meio roxa. A dor ia piorando, meu pai olhava meu braço, quando, de repente, meu tio chegou em casa. Meu pai me pediu para que não contasse nada a ninguém. Meu tio viu meu braço. Precisei ir até o pronto-socorro. A desculpa dada foi que havia caído em cima de um ferro na perfumaria.

Meu braço foi engessado e, desde aquela vez, nunca mais voltou a ser perfeito, pois qualquer batida ou esforço, ele se desloca e é necessário enfaixar ou engessar novamente.

Voltei do pronto-socorro. Logo após minha mãe chegou e se assustou quando viu o meu braço engessado.

Perguntou-me o que havia acontecido, e eu lhe disse o mesmo que ao meu tio. Mas, na sala, meu pai começou a me olhar e pela primeira vez senti medo dele. Instantes após fui até onde minha mãe estava e lhe contei que havia sido meu pai que quebrara o meu braço. Não me recordo de ter explicado muito bem o motivo, mas creio que ela entendeu, pelas palavras com que ela se dirigiu a meu pai e pela discussão que tiveram. E novamente eu ouvi ameaças, dessa vez da parte de meu pai.

Esse foi o motivo de desentendimento entre mim e meus pais, foi mais ou menos o que se pode chamar de "porquê" da minha vida, que não era mais vivida dentro de casa; e o fato de que eu bebia, saía às noites e retornava só na madrugada foi como a gota d'água que estava faltando para que minha liberdade fosse apreendida durante três anos na Febem.

Bem, esse foi o modo mais simples que encontrei para contar esse fato desagradável, mas fundamental para continuar narrando os próximos capítulos desta história.

Talvez eu tenha sido brutal na maneira de escrever, mas para mim era necessário colocar esse assunto à vista de todos, para que pudessem interpretar corretamente minha internação nos três lugares que descrevi anteriormente.

Só me entristece, hoje, o pesar de minha mente que se choca com a realidade. Pensar que tentei ver meu pai ao lado de minha mãe, e isso não aconteceu, e tenho certeza que não irá acontecer mais; saber também que gosto de meu pai, mas já gostei muito mais, antes quando na minha criancice, eu tentei mostrar que gostava dele, mas ele entendeu de modo errado; ou talvez ele não tenha entendido que uma pessoa como eu não precisava de mais nada a não ser carinho e compreensão de um pai que a vida nunca me ofereceu.

Após esse retorno, volto a descrever minha chegada à Febem.

VIII

Aquele era um quartinho pequeno, sem condições de suportar a quantidade de menores detidos e, pouco a pouco, esse número aumentava, sendo que junto com as meninas ficavam as crianças, incluindo recém-nascidos.

Na hora das refeições, o refeitório era dividido em duas partes por um estreito corredor; de um lado as meninas e, do outro, os meninos.

Mas, apesar de almoçarmos perto dos meninos, as normas da casa proibiam qualquer diálogo entre os dois grupos; até mesmo se algum menino fizesse um gracejo a alguma menina e o inspetor visse, tirava o menor do refeitório ou, às vezes, lhe dava alguns chutes e tapas, ali dentro do refeitório; no mesmo passo em que dizia ao menor coisas que o humilhavam perante todos os outros, por exemplo: de viado, perguntava se estava querendo dar o cu e outros termos típicos, comuns na Febem.

O dia era lento, só saíamos do quartinho para almoçar, jantar ou dormir.

Nesse quartinho havia apenas quatro bancos, portanto, a maioria das meninas permaneciam sentadas ou então deitadas no cimento. Apenas uma janela, quase na altura do teto, pequena e tapada por fora por grades de arame, fornecia o ar que respirávamos.

Algumas meninas sorriam, depois choravam; gritavam e se debatiam ao ouvirem o ronco de um carro lá fora ou vozes de pessoas estranhas, ou a sirene de um dos carros policiais que chegava, trazendo mais meninos ou meninas.

A ansiedade, nessa hora, nos sufocava a todos na espera para ver quem estaria chegando dessa vez: um amigo, um abandonado, um bebê, um delinquente, não importava, bastava apenas que viesse lá de fora, trazendo nas roupas o suave cheiro de liberdade que já começava a partir e, na garganta, nada mais que sua história para nos contar.

Havia também, dentro do quarto, um banheiro, no qual, muitas vezes exaustos de chorar na presença dos outros, desabafávamos nosso pranto sem consolo.

Antes de deitar, um banho de água fria. Depois para as camas, unidas, uma ao lado da outra. E assim se encerrava mais um dia de minha caminhada... Que ainda estava no início.

Os dias iam passando, cada qual com suas ilusões, seus planos futuros, suas recordações passageiras ou marcantes.

Não era permitido sair do quartinho de triagem para falar com a assistente social, a não ser quando chamado para entrevista.

Quatro dias monótonos, olhando aquelas paredes que eu já conhecia tão bem, quando da porta gritaram meu nome, a alegria tomou conta de mim, fui falar com a assistente, que me disse estar tudo pronto para a minha transferência para a UE 3 – Unidade Educacional Maria Auxiliadora.

Na mesma tarde, deixei a UR (Unidade de Recepção), mas antes, como costume, gravei meu nome na parede do banheiro, junto aos de muitos outros que passaram por ali.

Na época de minha transferência, o diretor da UE 3 era o Sr. Humberto Marini Neto que, logo ao nos receber, disse com voz dura e fria:

– Comigo não se deve brincar...

Guardei essa frase em minha mente, pois foi o que ouvi dele logo que o conheci e, com o tempo, percebi que a frase era verídica, era um aviso com cinco palavras, que significavam o cinismo, a desumanidade, a dor seca e lenta, aquela frase era como se fosse seu nome, seu orgulho que o fazia tão cego, a ponto de não perceber o quão miserável era a sua pessoa.

Sem motivo algum, apenas porque olhávamos para ele, perguntou-nos, em voz alta, se por acaso ele estava com as roupas sujas de fezes... Disse isso, é claro, à sua maneira, com seu palavreado grosseiro, de um homem sem escrúpulos, com uma personalidade que, dado o seu cargo, não deveria ser tão vulgar.

Abaixamos a cabeça, ninguém respondeu, ao que ele retrucou bravamente:

– Não vão responder, malandras otárias, pensam que eu sou o pai de vocês?...não sou palhaço.

E, sorrindo cinicamente, se dirigiu a uma menor que havia fugido, pegou-a pelo braço, dizendo que ela teria que procurar a enxada que haviam roubado.

Éramos em três casos de internação primária naquele local. Não entendemos o significado de suas palavras. Mas logo viemos a saber que carpir era uma das rotinas a que as menores eram submetidas como castigo.

Nossa chegada, com certeza, não teve um bom início. Aquela recepção que nos foi oferecida pelo diretor nos deu uma visão de um mundo diferente, severo, morto, desumano, injusto.

Lá é feita uma mistura de pessoas, como que para ver a resultante. Todas num só lugar, sem que ninguém tenha direito de ser julgado justa e individualmente.

Fomos revistados, logo a seguir, por uma funcionária que nos mandou que tirássemos as roupas, pois as mesmas seriam enviadas à sala dos pertences, conforme regulamento interno.

Foi dado para cada um de nós um pijama curto, já muito usado e um par de chinelos.

Fomos dispensados da portaria. O vigilante abriu a porta, nós entramos.

Quando toquei meus pés naquele solo, senti-me num lugar sombrio, como que perdido; menores sentadas pelos cantos do pátio, algumas com deficiência mental, conversando, certamente contando os mesmos fatos de todos os dias, até que outra novidade surgisse para ser comentada.

Na sala de televisão, apenas alguns bancos que, naturalmente, não era o bastante para que todas as menores ficassem sentadas. Portanto, as restantes deitavam-se no cimento, algumas com frio, dormindo encolhidas no canto da sala.

Relatar...

...relatar, apenas, não é o suficiente para que as pessoas possam sentir o quanto é constrangedora a visão de um local onde as pessoas são como objetos sem uso... depositadas.

IX

Já era noite, quase tempo para que o sino das dez horas soasse repercutindo por todo o recinto o aviso de que cada uma de nós tínhamos vinte e quatro horas a menos para suportar a angústia, a saudade, o desespero.

Longa espera...

Essa espera se via claramente nos olhos de cada uma, nas palavras tristes que diziam sorrindo, para não demonstrar, em frente a todas, que estavam com medo do mundo, pois é esse um sentimento normal, depois de algum tempo trancado entre muros e portas, entre verdades e fantasias, adquire-se medo do mundo.

É uma sensação estranha quando se fica fechado e separado de todos, quando se vê as ruas novamente, os carros, uma família. O medo nos persegue, pois nos sentimos anormais, parece que todos nos olham com repugnância, com receio de que podemos atacá-los e, por outro lado, quem sente na verdade esse medo somos nós, medo de que nos ataquem com palavras.

A verdade é que muitos não percebem que nossas falhas e defeitos podem ser esquecidos por todos, até mesmo por nós; desde que alguém nos olhe em público e nos trate como gente.

Todas as noites, antes de dormir, havia uma chamada oral com o nome de todas as menores, para que no término do dia fosse possível descobrir se houvera alguma fuga.

Chamaram por meu nome, entrei e presenciei, toquei, aquele ambiente sujo e sem vida.

Eram dois quartos contendo aproximadamente vinte beliches em cada um; no chão dos quartos e do refeitório dormiam muitas meninas. Portanto, era meio difícil, durante a noite, ir ao banheiro ou tomar água sem que se pisasse em alguém.

Muitos dos colchões eram urinados, o mau cheiro sobrepairava por tudo dando-nos, cada vez mais, a impressão de estarmos fechados em um lugar muito distante da realidade.

X

A primeira noite foi lenta, não conseguia adormecer, deitado em um colchão que me foi dado, um colchão que era impossível deitar-me de costas de tão gasto e fino. Portanto, doíam-me as costas; tentava dormir de bruços, mas o mau cheiro do colchão não permitia.

Como saindo de um pesadelo, acordei. A manhã não era bela nem feia, era o nada, era vazia, era o oposto de um sorriso, da alegria.

O banheiro, imundo, tornava necessário andar devagar para não se escorregar em água (havia um vazamento do lavatório), em pedaços de papel higiênico, em *Modess* sujos, espalhando pela água seu tom vermelho; nos chuveiros, havia fezes. Às vezes era preferível ficar sem lavar o rosto a sair com os pés sujos e com cheiro ruim.

No café, os famosos pães *New Bread*, duros, como se pretendessem justamente que cansássemos de mastigar e perdêssemos a fome. O café com leite, quase sempre queimado, servido em canecas amassadas.

Antes de todas as refeições, eram formadas três filas, em frente à porta do refeitório; depois que todas permaneciam em silêncio, o inspetor nos mandava rezar.

Nossa reza era apenas uma frase que dizia: "Abençoai, Senhor, esta refeição que vamos tomar". Após a reza, entrávamos de três em três para a refeição.

No café da manhã e café da tarde eram distribuídos três cigarros (a marca do cigarro "Arizona" pequeno) a cada menor que fumasse.

O sino da vila Maria soava pela primeira vez às 6h, às 7h era servido o café.

Das 8h até às 12h, as menores permaneciam em sala de aula ou, dependendo do grau de instrução, em cursos profissionalizantes com intervalo de 90 minutos para almoço e descanso.

As aulas ou cursos dados na Febem não prendem a atenção de muitos menores; no início é um meio de distração mas, depois, vem a rotina do dia a dia, a paciência parece terminar, as aulas parecem tornar-se iguais diariamente. Aquele lugar fechado se torna mudo, dando-nos a sensação de que, se ficássemos paradas, estaríamos morrendo pouco a pouco, sem saber, sem sentir dor ou alegria.

Às 13h30 se reiniciavam as aulas até às 17h (hora do banho); às 18h é servido o jantar.

O almoço e jantar são servidos em bandejas e, para qualquer que seja o tipo de comida, o talher usado é a colher.

Após o jantar, até às 22h, o nosso tempo é livre para fazer o que desejarmos, sendo que não há nada mais a fazer a não ser assistir televisão, ou então passear pelo pátio, já tão conhecido. Muitas, para que o tempo passasse mais rápido, deitavam na grama ou nos bancos do pátio e dormiam até o sinal das 22h.

Sei que, pelo horário escolar das menores, tem-se a impressão de que esses cursos profissionalizantes dão algum progresso às mesmas; mas isso não é verdade.

São cursos tais como: arte culinária, corte e costura, couro, tecelagem, cabeleireiro; as meninas revezam de cursos de seis em seis meses e, no final de cada um, seria até bom se perguntassem a cada uma se aprendeu algo no curso que acabou de fazer.

Poucas assistem aulas diariamente; as que ficam dentro das salas de aula escrevem cartas para pessoas distantes, mesmo sabendo que essas cartas dificilmente chegarão às mãos do destinatário.

Talvez esse distanciamento, essa falta de frequência das menores em salas de aula deva-se ao fato de serem monótonas demais, de os professores também serem aliados aos inspetores, chamando-os no caso de alguém estar fumando em sala de aula, ou conversando; aí o inspetor é chamado, a pedido do professor, para que tome providências sobre a menor.

Esse o motivo de algumas menores se rebelarem contra um professor, a ponto de o desrespeitar e não entrar em aula quando o mesmo está presente.

Por outro lado, existem professores mais humanos, que tentam o diálogo e assim tornam-se amigos praticamente de todas, sendo muito respeitados e defendidos perante qualquer outro menor que queira faltar-lhes com o respeito.

Encontram-se na Febem professores que viam menores sendo espancadas em pleno pátio ou sala de aula pelos inspetores e não davam a mínima importância; talvez o hábito deles educarem seus filhos também fosse batendo daquela forma.

Mas há alguns que, nessas ocasiões, ficam decepcionados; muitas vezes saem do local para não ver tal cena, e nós também sentíamos que isso os deixava chocados. No entanto, infelizmente, eles nada podiam fazer, a não ser lamentar e depois conversar com a menor tentando acalmá-la, dando-lhe apoio, um pouco de carinho, como que tentando aliviar sua dor e fazê-la esquecer, o que é muito difícil, quase impossível, quando se apanha sem motivo e sem direito a falar para tentar demonstrar sua inocência.

XI

A Unidade Educacional Maria Auxiliadora abrigava, naquela época, aproximadamente 200 menores.

Esse é o motivo pelo qual existe certa generalização entre todos os menores, pois não somente nessa unidade, como também em todas as unidades da Febem, existem mais ou menos essa quantidade de menores e, ao contrário do que muitos pensam, a Febem não tem, pelo menos por enquanto, condições ou meios de recuperação, devido à diversidade de hábitos próprios de cada menor.

A Febem cuida de menores infratores, menores deficientes, menores abandonados, menores que são recolhidos tarde da noite nas ruas; no final é evidente que não se consiga fazer nada por nenhum deles, pois essa mistura de pessoas transforma todos num só grupo, e não em grupos de deficientes, de abandonados, de menores trazidos das ruas, apenas um grupo de menores marginalizados.

A unidade onde eu me encontrava era dividida em três alas.

1. Triagem

Na triagem ficavam todas as menores que chegavam (ala já explicada em detalhes no capítulo anterior, onde relato minha chegada).

Três meses era o prazo mínimo em que uma menor permanecia nessa ala. Durante esse tempo, a menor é observada pelos inspetores, professores, assistentes, enfim, pelos funcionários.

Após o vencimento do prazo de três meses, era visto pela folha de comportamento se a menor estava apta para passar à outra ala. Essa folha de comportamento nós somente víamos às sextas-feiras: na frente do nome de cada menor havia uma bolinha e essa podia ser vermelha, azul ou verde.

Vermelha significava péssimo comportamento durante a semana e um alerta para que a menor soubesse que terá que se recuperar, na semana seguinte; azul significa regular, e verde finalmente significa ótimo. Quando havia vagas nas outras alas, as meninas que tinham obtido melhor comportamento, isto é, maior números de pontos verdes, eram deslocadas para a ala seguinte, ou seja, a Ala 1.

2. Ala 1

Na Ala 1 o local já era mais confortável, cada menor tinha o seu quarto, embora pequeno, mas, por outro lado, tinha sua cama e um armário para guardar suas roupas, pois, quando se passava para a Ala 1, era possível retirar seus pertences e vestir, ao invés das roupas da casa, as suas. A cama era estreita e de cimento, construída junto à parede.

O tempo para se passar da Ala 1 para a outra ala era menor que o da triagem para a Ala 1. No mesmo critério de comportamento, a menor era deslocada para a Ala Educacional, ou seja, UE.

Na UE não havia muita diferença, os quartos eram individuais, alguns deles com banheiros e outros em que, dentro da ala, havia o lavatório e o banheiro geral, isto é, para as meninas que não tinham banheiro dentro do próprio quarto.

O refeitório era separado, de uso exclusivo das meninas da Educacional, e a sala de televisão também.

As menores da Educacional, na maior parte, tinham saída autorizada para os finais de semana, dependendo da autorização de sua assistente.

As menores da Ala 1 e triagem almoçavam e assistiam televisão juntas, no mesmo local, sendo permitida a entrada de menores da UE, mas, ao contrário destas, as menores das outras alas não tinham permissão de entrada no refeitório ou sala de televisão das meninas da UE, sendo por muitas vezes tiradas da sala de televisão da Educacional por inspetores ou diretor a socos e pontapés, e muitas vezes com o castigo de limpar a grama dos pátios à noite.

Apesar dessa distribuição de alas, o local não era muito diferente: o mesmo pátio, mesmas salas de aula, as menores permaneciam juntas no pátio o tempo disponível, só eram separadas na hora de dormir, ou nas refeições e televisão.

Para mim, torna-se injusto o ato de espancar uma menor só por estar na sala de televisão da Educacional, sabendo-se que a sala de televisão da triagem estava sempre repleta, as menores deitavam ou sentavam no chão por não haver bancos para sentar, e, além disso, estando fechadas como as outras, elas não queriam diferenças, pois eram amigas.

Talvez amigas não fossem o termo exato para se referir às meninas, pois existem grupos, um círculo de amizades, não muito fixo, de vez que não há quase confiança; ninguém pode desabafar com ninguém, pois, a qualquer hora, acontece uma briga e tudo o que foi dito a uma amiga próxima passa a ser assunto comentado por todas. Portanto, é uma amizade muito frágil.

XII

O tempo passava e eu não conseguia me adaptar àquela casa. Fiz amizade com algumas meninas, que estavam aflitas como eu, e passamos a pensar em um modo de fugir de lá.

Mas era difícil, havia vigilantes e inspetores(as) nos cantos dos muros, percebendo cada gesto suspeito. Essa suspeita pairava principalmente sobre nós, pois havíamos chegado à unidade recentemente.

Nos dias que vieram a seguir, tive condições para perceber melhor as coisas que antes haviam me passado desapercebidas.

Uma noite, por exemplo, estava sentada no pátio, quando meus olhos depararam com o ato amoroso de duas meninas que se beijavam e se abraçavam carinhosamente; fiquei olhando, até que alguém as alertou de que o inspetor se aproximava. Elas se separaram imediatamente.

E eu fiquei pensando, recordando o jeito como uma delas se trajava, forçando um tipo masculino, embora tivesse gestos muito femininos: seu modo de andar, seu corpo. Era uma garota que mais tarde eu vim a conhecer como sendo "um dos machões" da unidade.

Havia diversas iguais a ela, sendo que algumas tinham um tipo mais masculino.

Aquilo não me assustou, embora eu não soubesse de tal existência. De outro lado, sempre desde minha infância, eu tive jeito de menino, chegando inclusive, numa festa familiar, a ser confundido com um garoto. Dentro de mim tinha um grande desejo de ter nascido menino.

Portanto, para mim, pelo meu modo de agir, foi uma grande descoberta saber que para se ter uma mulher, para se vestir como um homem, não seria necessário ser um.

Aquilo me cativou desde o início. No entanto, minhas preocupações eram maiores, eu tinha que fugir, viver livre. Aqueles dias me ajudaram a me definir melhor. Eu já tinha meus planos, sabia exatamente como assumir minha personalidade publicamente; era como se eu tivesse desabrochando naquele instante, só faltava conseguir uma fuga positiva e, livremente, o resto iria depender de mim.

Estávamos perto do mês de junho, época das tradicionais festas juninas e iria haver uma comemoração também lá dentro da Febem.

Iniciavam-se os preparativos: bexigas, barracas apenas contornadas com cadeiras e cordas, bilhetes para lanches, quentão, pipoca, amendoim, refrigerantes, brincadeiras etc.

Havia uma menina chamada Rosana, que aos poucos se tornara minha amiga.

Mas eu não sabia o que estava acontecendo. Rosana me olhava seriamente, com jeito terno, conversava comigo e, sempre que podia, aproximava-se cada vez mais; passei a desconfiar que algo estava para acontecer.

Mas logo descobri que não era somente Rosana que me olhava de modo diferente. Eu também, quando dei por mim, estava trazendo dentro de meu ser uma forte atração por ela. Eu a achava linda, perfeita, a mulher que qualquer homem gostaria de obter. Sua pele morena me dizia da beleza do sol, nos seus cabelos, quase negros, eu queria perder minhas mãos. Rosana deixou de ser, para mim, apenas uma menina, ela me era um temor que se confundia com as batidas do meu coração quando meus olhos a fitavam.

Mas, ao mesmo tempo, minha consciência falava mais alto. Como poderia eu cultivar as ilusões de Rosana, sendo que uma de nós iria partir cedo ou tarde? E se eu partisse antes?

Decidi-me que não, Rosana não merecia sofrer, ela era meiga demais, seus olhos eram brilhantes e aqueles olhos eu jamais teria coragem de fazer chorar.

Havia também uma menina, Vera, com a qual eu simpatizava muito. Mas depois que ela ficou sabendo do início de minhas intimidades com Rosana, ela me deixou como um caso à parte. Alguns dias depois, descobri a razão: Vera, apesar de fugir da situação e de não querer me dizer claramente, estava atraída por mim.

Foi quando decidi me afastar das duas, não tanto por Vera, mas por Rosana. Sempre respeitei muito os sentimentos de cada pessoa, e não era justo isso. Voltei às minhas antigas amizades, aos antigos pensamentos de fuga, até que chegara o mês de junho.

Faltavam três dias para o meu aniversário, minha mãe e meu irmão foram até lá, me levaram um relógio de presente, porém não aceitei ficar com ele. Disse apenas que seria arriscado perdê-lo lá dentro, mas não era isso, na verdade eu não queria presentes, queria minha liberdade, e essa ninguém poderia embrulhá-la num papel de presentes, queria minha liberdade, e isso ninguém me deu.

Sempre sonhei muito com a data dos meus quinze anos, queria sair com amigos, reuni-los em minha casa, enfim. Mas eu estava preso com uma angústia que me doía por dentro, parecia que minha vida estava falecendo naquele dia, era o dia final, meus sonhos, meus planos, estava tudo destruído, ninguém para me dar os parabéns, nenhum abraço, nenhum sorriso, nenhum aperto de mão, só algumas lágrimas que rolaram pela minha face, quando acordei naquele dia triste de junho.

No dia da festa, o pátio de trás da unidade foi impedido e as menores teriam que ficar apenas no outro lado da casa, onde estava se realizando a comemoração.

A festa se iniciou com a quadrilha, sem trajes típicos, a não ser o chapéu, depois começaram as diversões, bebi muito quentão, no qual infelizmente não havia quantidade alguma de álcool.

XIII

Quando cheguei à unidade, como não havia nada para se beber, bebia desodorante, que continha muito álcool. Com uns quatro a cinco vidros eu já estava em estado de embriaguez.

Logo, quatro vidros de desodorante não me faziam efeito. Aumentei a dosagem, até que em um dia não suportei mais aquele gosto terrível, que queimava em minha garganta, um gosto de perfume que não saía nem após escovar os dentes.

Parei de tomar desodorante. Mesmo quando me ofereciam, eu rejeitava; esse costume ainda existe até hoje na UT 4; menores acumulam vidros de desodorante para serem tomados nos fins de semana.

Retornando à festa, estava animada, aparentemente, só que eu não me preocupava muito com o que acontecia ao meu redor, estava atento a cada movimento do vigilante que cuidava da porta, para que nenhuma menor passasse para o outro pátio.

Até que, por um momento, pensei estar sonhando: ele saiu da cadeira e se dirigiu à porta da enfermaria.

Chamei as outras meninas e passamos pela porta, devagar, sem fazer barulho, depois colocamos a cadeira no local novamente e fomos para o pátio de trás.

Havia algumas colunas que sustentavam uma pequena cobertura.

Estávamos em dezessete menores e usamos a tão famosa escadinha, feita com as mãos; assim subimos, uma a uma em cima da cobertura. Deviam ser mais ou menos 19h.

Estávamos vestidos normalmente, isto é, com roupas da casa, eu estava de bigode feito com canetas hidrográficas, e com algumas faixas de papel alumínio na camisa.

Em cima da cobertura, pedi a todas que se deitassem e fossem rolando até chegarem ao telhado, para que não houvesse alarme da parte das outras meninas ou funcionários que estavam lá embaixo.

E assim fizemos, até chegarmos ao telhado; faltavam apenas mais alguns passos para chegarmos ao muro da portaria.

Ajoelhamos no telhado, pedindo em algumas palavras a proteção dos céus. Ao chegar na ponta do muro olhei para baixo, via a portaria e um dos vigilantes de costas para a porta, que era de vidro. De repente, ouvimos, no fundo do pátio, alguns gritos nos repreendendo. Era o inspetor Abel, que gritava para que descêssemos de lá, depois veio correndo, até perto de onde nós estávamos, aproximou-se do portão de ferro, dando violentas pancadas, gritando para alarmar os vigilantes.

Por um momento hesitei, pensei em pular e ser pego pelos vigilantes, se eu ficasse lá em cima e deixasse que me pegassem, apanharia do mesmo modo. Decidi. Agarrei no muro, de costas para a rua, e soltei meu corpo.

Caí sentado, bati o pé nos vidros da portaria, quebrando o último deles. Pus-me a correr, pela avenida Marginal

Tietê. Entrei no mato. Havia lá uma favela. Entrei decididamente, sem receio.

Eu não queria ficar escondido na casa, queria apenas cortar caminho para sair do outro lado da Marginal. Ao pular a cerca, me assustei, senti que meus pés tocaram em algo mole.

De início, pensei ter pisado em uma poça de lama, mas ao ouvir aquele ronco terrível, percebi que não era. Foi então que olhei para o solo e vi que eu havia pisado em cima da cabeça de um porco.

Pulei a cerca mais rápido do que o necessário e, quando cheguei em meio ao mato alto, deitei-me no chão. Felizmente percebi não estar sozinho, atrás de mim estavam mais três meninas que se deitaram ao meu lado.

Elas tinham medo de algum bicho que estivesse no mato, mas eu disse que preferiria ficar lá, a correr na avenida, para que os vigilantes nos vissem.

Após algum tempo, ouvimos passos que se aproximavam do local onde estávamos; ficamos em silêncio e, logo depois, contentes ao ver que os passos eram de Suzana, que também havia conseguido escapar.

Ficamos no mato até as dez horas, quando o sinal tocou na unidade. E então o pensamento que começou a vagar pela minha cabeça era o quanto deviam estar apanhando as doze meninas restantes que ficaram em cima do telhado.

Saímos do mato, andando em direção à Marginal, pegamos uma carona e fomos para onde tínhamos planejado nos esconder: Horto florestal.

Chegando lá, pulamos o portão e subimos pedras acima até o ponto máximo. Havia algumas folhas de jornal no chão, coloquei-as em cima de uma pedra enorme. Estávamos em cinco, entre elas, Vera, que me acompanhava decidida a ficar ao meu lado.

Duas das meninas partiram e não mais retornaram. Eu, Vera e Susana ficamos no Horto. Susana tinha medo e começou a chorar.

Vera e eu tentamos acalmá-la até que ela adormeceu. Deitei-me e, olhando para o céu, via Rosana, quase que escondida pelos galhos das árvores mais altas.

Eu não sabia se estava triste ou alegre. Estava livre, mas faltava-me algo, faltava Rosana. Justamente nesse momento em que meus pensamentos se confundiam entre a liberdade e a saudade, as mãos de Vera se entrelaçaram em minha barriga. Fixei meus olhos no rosto de Vera, seu olhar me pedia atenção, mas era como se ela não estivesse ali. Ela se aproximou mais ainda, apertando-me contra seu corpo, seus lábios quentes se encostaram nos meus e, mesmo com a imagem de Rosana em minha mente, eu cedi àqueles carinhos, que me pareciam sinceros e tão desejados.

XIV

Durante aquelas carícias profundas trocadas entre nós, eu sentia a vida bem próxima a mim, beijava e abraçava Vera, como se eu estivesse abraçando minha existência, eu acariciava seu corpo, lentamente com um desejo interior tão imenso que não sabia mais distinguir o significado da amargura, não me doía mais a saudade do mundo, e eu tinha ela ali junto a mim, resistindo ao frio, ao vento, enfim, eu tinha finalmente alguém para mim, para me ouvir quando eu quisesse falar, para me olhar quando eu ficasse em silêncio. Vera era o início e, ao mesmo tempo, uma promessa de um futuro seguro de que eu sabia não ter mais nenhum motivo para duvidar; sabia que, finalmente, eu havia me encontrado e conhecido uma parte de mim, antes bloqueada pelos outros.

A noite foi longa, mas cheia de amor e afeto; Susana dormia, eu e Vera ainda por muito tempo, abraçados, conversando, e foi aí que resolvi expor a realidade minha.

Decidi dizer a ela que o que havia acontecido que não devia ser levado muito a sério, que ela me ajudou a me encontrar, mas o restante não seria ao lado dela que eu desejava conhecer e, sim, ao lado de Rosana.

Dos olhos de Vera pingaram algumas lágrimas, lágrimas amargas, tristes, seu olhar era profundo como se quisesse enxergar dentro de mim. Eu sentia pena, não era isso que eu pretendia, quis usar de minha sinceridade, mas isso só contribuiu para que ela sofresse, justamente o sofrimento que eu tanto tentei impedir.

Após a cena que eu estava a apreciar, a voz dela ressoou em minha mente, me dizendo que se meu pensamento era mesmo esse por que fui tão longe, por que não desisti desde o início. Ela queria saber por que eu a iludi desrespeitando seus sentimentos e seu corpo, pouco antes entregues a mim.

Eu não tinha palavras, concordei ter errado, desrespeitando e também humilhando a quem não merecia, mas no momento em que eu estava entre a dúvida e o desejo eu não soube desistir, eu quis continuar, pois meu desejo era maior do que qualquer outro sentimento naquele instante.

Apesar de tudo, ao contrário da reação que eu esperava, Vera tocou meu ombro, apertou-me contra ela, e pediu-me que lhe desse um último beijo, já que estava tudo terminado, mesmo antes de começar.

Eu hesitei, expliquei que isso só iria contribuir para piorar a situação, mas ela insistiu e então, novamente, nossos corpos se aproximaram. Não foi um simples beijo, ela me apertava e colocava minhas mãos em seu corpo, no seu sexo, tocava em meus cabelos e apertava meus braços como se quisesse segurar-me junto a ela, mas quando percebi que novamente estava indo muito além, me afastei, deitei-me na pedra e logo estávamos juntos à noite.

O barulho de alguns bichos, que não pude identificar, os pernilongos que zuniam em nossos ouvidos, o frio que tinha contato livre com a nossa pele e o sereno que umedecia nossos cabelos... Esta fora a noite mais longa de minha vida, a madrugada se encontrava perdida e o amanhecer estava muito além daquela estrada escura e interminável. Amanheceu, muito depois o sol lançou seus raios por entre os galhos das árvores e, nesta manhã, eu decidi partir.

Meu sobrinho havia nascido há alguns meses e eu quis ir vê-lo, mesmo sabendo que talvez não chegasse até lá por causa dos policiais. Mas eu queria tentar, queria rever a família, mesmo os que me criticaram, os que me mandaram para longe de minha liberdade. Eu sentia falta, essa era a verdade, queria matar as saudades, pelo menos de alguns deles, mesmo se fosse por um momento passageiro.

Despedi-me de Vera e Susana, as quais não revi nunca mais, fui embora; do portão do Horto Florestal, olhei pela última vez para elas, que continuavam a me perseguir com os olhos, até que as ruas me esconderam em suas curvas.

Cheguei à casa de meu irmão, àquela época residente próximo ao Tucuruvi, na Av. Júlio Buono.

Vi meu irmão, minha cunhada, os quais sempre me deram muita força e tentaram me ajudar em minhas dificuldades, nos meus momentos de tristeza e participaram comigo dos meus momentos de alegria.

Minha cunhada disse-me que todos estavam preocupados, pois haviam ido até a Febem para me visitar, quando tomaram conhecimento de minha fuga. Tomei um banho, troquei de roupa, roupa que estava tão suja a ponto de minha cunhada ter que queimá-la.

Quando olhei para meu sobrinho, senti vontade de chorar. Ele dormia em seu berço, seu rosto era pequenino e tão sensível quanto o nascer de uma flor, flor que prometia jamais trazer um espinho em seus caminhos. Seu sono tinha a prova da inocência, da inexistência da maldade. Eu me senti grande por dentro, sabia que depois de algum tempo suas pernas trêmulas começariam a caminhar, sua boca pequena meu nome iria pronunciar. Naquele momento poderiam me fazer o que quisesse, pois eu era forte, eu tinha vida, ele me trazia orgulho que eu sempre pretendi dar a ele um dia, mesmo que esse dia demore a chegar. Eu sabia e sei que ele não irá se decepcionar comigo.

Meu irmão e minha cunhada me receberam muito bem, melhor do que eu imaginava merecer. Decidiram avisar minha mãe que eu estava bem e em sua casa para que ela não se preocupasse.

Eu e minha cunhada, olhando pela janela, vimos quando o carro de meu irmão se aproximava com minha mãe. Eu já estava a pensar no que dizer a ela, pedir desculpas ou deixar que ela falasse antes o que bem entendesse?

Mas para o nosso espanto, de repente, meu coração bateu forte. Ela não merecia minhas desculpas, pois atrás do carro vinha uma perua da Febem, para me buscar.

Quando olhei na perua, vi dois funcionários da unidade em que eu estava, corri para os fundos da casa, pulei o muro e fiquei escondido na casa da vizinha de minha cunhada, que gostava muito de mim. Logo vi a perua da Febem se afastar, haviam desistido de me procurar.

Mas eu sentia ódio. Fui rever minha família, não com intenção de ficar para sempre e pensei que minha mãe ficasse contente de me ver também.

Porém ela não estava preocupada em me ver. Antes de chegar à casa de meu irmão, ela preferiu passar pela Febem e levar junto com ela dois funcionários para me prenderem novamente, para tirar-me de perto dela, de meu sobrinho. Ela não havia mudado nada, era a mesma que eu conhecia há meses atrás. Percebi realmente o quanto eu era indesejável para ela.

Percebi a verdade atirada em meu rosto como um pano sujo. Senti uma faca penetrando em meu coração, como se estivesse a matar um porco ou outro animal qualquer. Minha presença não lhe fazia falta, e minha ausência não lhe deixava saudades.

XV

Logo depois, meu irmão foi à casa de sua vizinha para me buscar. Minha cunhada havia lhe contado que eu estava lá, mas ele esperou que os funcionários da Febem fossem embora para ir conversar comigo.

Por um momento ele me olhou, pareceu-me ter sentido pena, e com os olhos eu agradeci a ele por ter me ajudado. Fomos para a casa dele, minha mãe estava lá, mas eu não dei importância a ela. Não tinha coragem de encará-la, seu olhar era frio demais e não era disso que eu estava precisando.

Tivemos uma longa conversa, eles queriam que eu voltasse para a Febem. A princípio pensei em fugir novamente, mas meu irmão disse que era por pouco tempo, e que logo me tiraria de lá. Mas para isso seria necessário que eu me entregasse, para que pudessem solicitar minha liberdade à minha assistente social.

Foi difícil para mim aceitar tal sugestão. Eu havia me esforçado tanto para conseguir fugir que, voltar simplesmente, era como me afogar de novo num poço de lodo.

No dia seguinte disse ao meu irmão que aceitaria, mas que ele podia ter certeza que essa volta iria me modificar muito. Resolvi cortar um pouco meu cabelo. No fundo eu sabia que estava voltando não para conseguir liberdade perante as assistentes sociais, mas sim voltando definitivamente para Rosana, com o cabelo curto, identificado mais ainda com um menino, estava voltando para assumir de uma vez por todas o amor imenso e verdadeiro que eu sentia por aquela mulher criança.

Quando chegamos à Vila Maria (nome pelo qual é conhecida a Unidade Educacional Maria Auxiliadora), na portaria barraram nossa entrada até que D. Maria Helena foi nos atender. Meu irmão e minha mãe explicaram o que havia acontecido, minha fuga, a conversa que tivemos e D. Maria Helena permitiu que eu entrasse sem receber nenhum castigo. Mas, infelizmente, quando o Sr. Humberto ficou sabendo de meu retorno, chamou-me em sua sala, e lá, quando olhou e reparou que meu cabelo estava curto, disse-me que eu teria que tomar cuidado para não pisar em chão errado e que meu cabelo teria que crescer rápido antes que ele se enfezasse.

Pelo seu modo de falar entendi perfeitamente a que ele se referia, mas entendi também que ninguém iria me modificar, pois afinal, se todos podem optar pelo que acham certo, por que somente eu não poderia viver do modo que eu me sentisse melhor?

Fiquei de castigo na cozinha, lavando bandejas e panelas durante o prazo de um mês.

Quando saí da sala da diretoria, meu irmão e minha cunhada estavam indo embora; despedimo-nos na portaria, dei a mão para minha mãe, depois para meu irmão, que tinha os olhos brilhantes naquele momento, e senti também que meus olhos estavam embaçados, disfarcei as lágrimas para que eles não percebessem. Doeu muito quando a porta se fechou e eu só podia ver o contorno do corpo de meu irmão se afastando. Senti dentro de mim que ele estava chorando e meu rosto se tornou inundado quando o Sr. Humberto mandou que eu saísse dali e fosse para o outro lado da casa.

Diante de tanta tristeza restou-me uma coisa boa, eu estava indo para o pátio e lá com certeza encontraria Rosana.

Vi algumas meninas que passavam por mim, insignificantes, mas, ao longo da quadra, pude observar que alguém me olhava de longe.

Era ela, estava em pé, com uma das mãos na cintura. Como era bela aquela imagem, mais parecia miragem, seus cabelos castanhos escondiam a luz do sol, seus olhos formavam meu mundo, mundo puro sem interesses, um mundo do qual eu jamais queria partir, pois ele era belo demais para ser realidade; mas era real, ela estava à minha frente e eu caminhava lentamente em sua direção...

Mas, quando estávamos frente a frente, aquela fase hipnótica passou, nossos olhares se encontraram, porém ela fugiu dizendo apenas um "oi". E correu de mim, não olhou para trás, não entendeu o que eu sentia por ela; ao mesmo tempo, raciocinei que ela talvez houvesse tido medo, ficara sem palavras, como eu também, ao descobrir que a amava. Eu fugi para longe, ela tinha o mesmo direito.

XVI

Anoiteceu rápido, o escuro da noite me envolvia em suas sombras incertas, desesperadas... eu estava a pensar que não deveria ter aceitado voltar, deveria ter ficado como fugitivo, quis voltar para Rosana mas ela parecia temer nosso relacionamento.

Terminei meu castigo por aquela noite e fui me sentar no gramado de um dos pátios, quando Rosana sentou-se ao meu lado e depois vieram outras meninas, com as quais conversei sobre minha fuga.

Passou-se algum tempo, Rosana e eu estávamos sozinhos, nos olhando e pela primeira vez eu senti que havia conseguido realizar meu desejo: toquei suas mãos, as mãos com que eu tanto havia sonhado, depois seu rosto e logo, não sei se fui eu ou ela a dar o primeiro passo, mas senti meus lábios juntos aos dela, levemente, e logo um longo beijo apertado, com um forte gosto de felicidade, amor, ternura infinita, eu estava feliz, e ela também, caminhamos após pelo pátio, de mãos dadas, até a hora em que o sino soou, acompanhado de um beijo seguro, prometendo um amanhã jamais vivido antes.

Nos despedimos. Ela estava na Ala 1 e eu na triagem. Houve a chamada rotineira e fomos dormir.

No dia seguinte entrei em ritmo normal, frequentando as aulas no período da manhã e da tarde. E assim foram passando os dias, meses...

Algum tempo depois, sem ter havido nenhum relacionamento sexual entre mim e Rosana, eu não sentia mais falta de sua presença e resolvi me desligar dela, dizendo que tudo havia acabado e que eu não sentia mais nada por ela além daquela empolgação, que fora tão passageira.

Acabou-se o meu castigo, eu comecei a ser conhecido como um garoto; lá dentro, todas as meninas passaram a me tratar bem, a me ouvir e, muitas vezes, até a respeitar minhas decisões.

Foi nessa época que surgiu meu apelido tão conhecido, não somente nas unidades da Febem, como também no centro da cidade, nos bares; e, logo, em minha própria casa, todos sabiam que se perguntassem por mim como Sandra, poucos responderiam, pois meu apelido era "Bigode".

O diretor me chamou diversas vezes em sua sala para me chamar a atenção sobre as coisas que andavam sendo comentadas a meu respeito, isto é, não só as menores como também funcionários andavam comentando sobre mim, pois lá havia diversas menores como eu, mas eu chamei a atenção dos demais por ser muito autêntico em tudo; as menores gostavam e muitas delas me mandavam longas cartas durante o dia, cartas pedindo que eu fosse conversar com elas, pois gostavam de mim. Nessas cartas propunham até se entregar a mim, quando eu desejasse... E eu me vi rodeado de meninas, até que percebi que eu teria quem eu quisesse, bastaria escolher.

Em geral as menores como eu eram chamadas de machão, mas a maioria delas era criticada pelas outras, pois nos passeios da unidade para locais como cinema, unidades masculinas, enfim qualquer tipo de passeios, essas menores eram totalmente diferentes: aceitavam gracejos dos homens, muitas arrumavam namorados etc. Como nunca dei motivo para nenhuma crítica desse tipo, era sempre ressaltado como sendo o único "machão" autêntico.

Outro motivo pelo qual meu apelido recebia ênfase e minha fama crescia eram os pelos que começaram a se desenvolver em mim, nas pernas, axilas, peito, costeleta, características as quais as outras não possuíam, pelo contrário, às vezes chegavam a ser chamadas por "mãezinhas".

A pressão sobre mim, que era grande por parte de alguns funcionários, piorou quando o diretor viu minha perna.

Eu, francamente, não me preocupava muito, pois havia assumido e dizia a qualquer um que eu não cederia às pressões como espancamentos, ou outros tipos de castigo.

No meu pessoal amoroso, eu já havia escolhido uma garota que não se mostrava como as outras, ela era mais difícil e por isso eu a preferi; nosso início foi lento, ela aceitou mas eu julgava que não iria ser duradouro, pois não ficávamos quase juntos, somente à noite. Logo as coisas foram melhorando, nós nos gostávamos realmente e juntos, como muitas diziam, formávamos o mais belo par dentre todos. A essa menor, que para mim não fora uma simples menor e sim uma mulher, um dia eu fiz um verso, do qual não esqueço. Naquele tempo quase todos sabiam da existência do mesmo, pois eu o escrevia no quadro das salas de aula, nos cadernos; o verso era simples, mas eu o fiz num momento mais simples ainda, fora num instante de amor. Dizia assim...

Era uma noite de luar,
Nasceu uma linda Deusa,
Seu olhar é belo e puro,
Ela se chama Ireusa.

Ireusa, era esse o nome de minha primeira paixão, que eu levei a sério por muito tempo. Para mim bastava fitá-la, mesmo de longe, já me era um mundo inteiro.

Mas um dia, pouco tempo após meu retorno, meu coração doeu, sangrando. Olhei para Ireusa e não pude impedir algumas lágrimas que desceram e rolaram por minha face. Eu havia conseguido minha liberdade e que eu tinha apenas sessenta minutos para estar na portaria, com todos os meus pertences.

Ireusa logo ficou sabendo, não fui eu quem lhe contei, eu preferia que ela nem tomasse conhecimento. Na hora do adeus, não me despedi de ninguém, somente a ela eu dei a mão dizendo "tchau". Virei-me sem esperar sua resposta, não sei se ela olhou para trás, acredito que não, nós queríamos fugir da situação. Somente da portaria olhei para o pátio e vi Ireusa encostada em uma das pilastras. Foi só um olhar, levei todos os meus pertences para o carro e fui embora com minha mãe e meu irmão.

XVII

Fui para a casa de meus pais. Se alguém falava comigo era tão somente para dar-me conselhos, para que eu endireitasse desta vez, senão retornaria à Febem.

Entretanto, mal sabiam eles que voltar para a Febem era o meu maior desejo, pois, se antes eu queria sair, depois que conheci Ireusa jamais gostaria de ficar livre. É certo que seria um sacrifício imenso, mas eu queria passar pelo sofrimento, sentir os muros me prensando e tapando a vida, mas Ireusa era mais importante. Aqui fora eu não queria nada, era como se já conhecesse tudo. O bar que eu frequentava antes estava arruinado, todos os amigos partiram, cada qual tomou seu caminho. Então, por que ficar num lugar onde eu não tivesse nada? Decidi finalmente dizer não; recordava-me de Ireusa, seus olhos pretos, sorriso infantil e carente do meu amor, nós nos amávamos em conjunto, eu era uma parte dela, e ela era meu pedaço insubstituível.

Meus pais não me eram nada importantes, eles haviam anteriormente machucado meu orgulho próprio, haviam ferido e deixado sangrar a única gota de afeto que ainda existia entre nós, eles acabaram com tudo e deixaram restar apenas em mim um agradecimento, como um gesto de adeus.

No mesmo dia que cheguei, meu pai foi até a rodoviária comprar duas passagens, uma para mim e outra para ele, para o Paraná. Foi aí que me avisaram que eu iria morar com minha avó, em Arapongas. Eu disse que preferia voltar para a Febem, mas não tinha escolha, eles já haviam decidido. A data da passagem era para o dia seguinte, por volta das 20h.

Naquela noite saí de casa, bebi o mais que pude, não conversava com ninguém, quando muito cumprimentava alguém.

Depois de ter bebido e já estar com minha cabeça tranquila, longe de tudo que iria acontecer no dia seguinte, passei em uma farmácia e comprei os tais comprimidos, *Optalidon*, ingeri uns vinte mais ou menos e depois fiquei a vagar na noite; andava por todas as ruas escuras, tão escuras quanto os olhos de Ireusa, tão seguras quanto sua voz me declarando amor. Era meia-noite, as ruas eram impuras, o sereno e o frio me doíam em meu corpo, comecei a andar calmamente todos os meus caminhos percorridos em direção à minha casa.

Quando cheguei na esquina, avistei meus pais, meus irmãos, alguns vizinhos, todos no portão de minha casa, conversando e olhando para todos os lados; com certeza estavam à minha procura. Aproximei-me frente a frente com eles, minha mãe começou a me xingar, dizendo que eu não mudaria nunca mais e muitas outras palavras agressivas, que prefiro não repetir. Sei apenas dizer que, quando ela disse que eu era a desgraça que estava acabando com a família deles, gritei em voz alta, perante todos, e também aos ouvidos dos curiosos que estavam a ouvir a discussão sem demonstrar interesse e, no meu grito de revolta, eu contava a todos a minha verdade, disse que não queria ficar ao lado deles, queria voltar à Febem para poder ficar perto de quem eu tanto amava, disse que não necessitava mais ficar nos bares, e sim perto de minha mulher, Ireusa.

Esse foi apenas um resumo de tudo que eu disse, sem me importar se os vizinhos estavam ouvindo, doesse a quem fosse. Eu precisava assumir perante minha família o meu amor por uma mulher, para que entendessem que eu já havia assumido, e que minha verdade era segura e minha personalidade ninguém iria conseguir modificar: eu era homossexual, ponto final. Os vizinhos foram se retirando aos poucos, nós entramos para dentro de casa, fui dormir, sem conversar com ninguém.

No dia seguinte, eu e meu pai seguimos rumo ao Paraná, mesmo eu dizendo que não ficaria lá.

A viagem terminou no amanhecer do outro dia. Chegamos a Arapongas.

Ao chegar na casa de minha avó, ela, meu avô e minha irmã legítima, Rosana, me receberam muito bem, voltaram a me chamar de "Du", meu apelido quando criança.

Minha avó mostrou-se repugnada ao saber que eu estava no Juizado de Menores e demonstrou muita pena de mim. Meu pai logo partiu para São Paulo, deixando-me aos cuidados de minha avó, sem dizer quanto tempo eu iria morar com ela, nada, apenas se despediu de mim como quem diz: adeus, coisa inoportuna.

No dia seguinte, expliquei a minha avó minha situação, contei a ela sobre Ireusa. Ela me entendeu e foi comigo até o juiz da cidade para que me desse uma autorização para viajar de retorno a São Paulo.

Naquela mesma noite, minha avó e minha irmã choraram na rodoviária quando eu embarcava. A despedida foi rápida, mas não conseguiu ser tão rápida a ponto de evitar que algumas lágrimas descessem pela minha face.

Era noite, a cada minuto eu me sentia mais próximo de Ireusa, as horas passavam e, enfim, eu chegava em São Paulo.

Toquei a campainha de minha casa, meu irmão abriu a porta, exclamando: "É a Sandra que voltou!"

Sandra... Sandra motivo, Sandra causa, Sandra desgraça, tudo, menos... Sandra gente. Como eu me sentia pequeno, humilhado... rebaixado.

Quando todos me viram, o mundo pareceu cair em cima de minhas costas. Eu insisti dizendo que eles não precisavam se preocupar comigo, pois eu iria para a Febem.

Eu sabia como fazer, bastava sair à noite, ir para o centro da cidade e, facilmente, os policiais iriam pedir os meus documentos.

E foi o que fiz. Na mesma noite, me dirigi ao Parque Dom Pedro, e fiquei parado, quando apareceram alguns policiais, pediram minha documentação, eu fingi não saber nem meu nome, até que chegamos ao Degran – 1º DP.

Lá me revistaram, eu disse que já havia passado pela Febem, meu nome e então me encaminharam à unidade de triagem – Plantão Celso Garcia.

Desta vez fiquei detido lá somente um dia, pois, ao anoitecer, me chamaram, dizendo que eu seria entregue a minha família. Mas eu não perdi as esperanças de estar perto de Ireusa.

Fui até a minha casa, já era de madrugada, todos estavam dormindo. Um inspetor me acompanhou a fim de falar com meus pais, para que eles permitissem que eu ficasse lá.

Quando eu fui acordar minha mãe, eu disse a ela em voz baixa para dizer àquele homem que eles não iriam me aceitar, de modo algum, e foi o que ela fez.

Tive sorte. O inspetor me levou de volta à unidade de triagem para breve retorno à Vila Maria.

No dia seguinte, na parte da manhã, eu estava chegando à Vila Maria.

Na portaria, eu não senti medo, nem vontade de fugir, apenas me sentia feliz, logo eu iria ver Ireusa. Eu estava bem, eu tinha tudo, tinha finalmente amor e compreensão ao meu lado, e juntos nós iríamos lutar contra todos que perturbassem nosso caminho, incerto mas esperançoso.

XVIII

Estávamos em cinco menores, das quais três já haviam sido da Vila Maria. Ficamos em um quartinho junto à portaria até o dia seguinte; as refeições eram servidas lá mesmo, por outras menores.

Na hora do almoço foi que conheci Gisele, quando veio me entregar minha bandeja. Ela era muito bonita, corpo perfeito, e também muito educada. Gisele havia chegado enquanto eu estava fora da unidade.

No dia seguinte, quando entramos, uma notícia bem desagradável me entristeceu. Ireusa havia fugido, um dia após a minha saída.

Mas não me preocupei, pois eu sabia que, assim que ela ficasse sabendo que eu estava de volta, ela também voltaria.

E assim aconteceu. Ireusa voltou. Aí começaram os meus problemas... O diretor da unidade, Sr. Humberto Marini Neto, começou a criticar todos os meus feitos, até que eu me revoltei contra ele de tal maneira que nossas relações foram cortadas. Era inútil tentar um diálogo com ele, pois ele não me aceitava tal qual eu era: ele queria que eu fosse como as outras meninas, que usasse roupas diferentes, até que chegou ao ponto da estória tão conhecida na Vila Maria. O diretor queria, de qualquer modo, que eu raspasse as pernas e usasse vestido, isso sem contar as humilhações que ele me fazia passar perante todas, com palavras de baixo calão, como por exemplo uma frase muito comum com a qual ele se dirigia a mim:

– Machão sem saco, machão sou eu que tenho duas bolas.

Ele dizia isso com gestos e voz alta para que eu sentisse vergonha de mim mesmo e mudasse os meus costumes.

Até que a situação foi piorando e eu, com outras duas menores, tentamos programar nova fuga. Apesar de eu estar ao lado de Ireusa, isso não me bastava, pois eu não tinha o mínimo de segurança.

Não havia modo de fuga, pois os inspetores estavam muito atentos para comigo por ordem do Sr. Humberto.

Sendo assim, depois de muito pensar, descobrimos que o único modo era fugir quando se ia ao hospital ou pronto-socorro, mas nenhuma de nós estava doente, por isso tivemos que arrumar alguma doença.

Foi aí que decidimos colocar em nosso braço alfinetes, para que fôssemos submetidas a cirurgia.

E assim o fizemos: eu coloquei em meu braço cinco alfinetes de costura, sendo dois no braço esquerdo e três no braço direito. A outra menor também colocou alfinetes no braço, somente uma fez penetrar em seu seio esquerdo uma agulha de tamanho grande.

Ficamos mais ou menos uma semana, sem que ninguém descobrisse, com os alfinetes e agulhas no corpo.

Nesse ínterim tive uma discussão com uma menor que acabou numa briga e, logicamente, a ela não aconteceu nada, mas eu fui mandado para o quartinho e esperei pelo Sr. Humberto.

Quando ele chegou, já estava sabendo do ocorrido; portanto, veio me batendo de um modo muito grosseiro. Eu havia dado a ele a chance pela qual ele tanto esperava, ele de há muito queria me bater, só faltava um motivo.

Durante a surra que eu estava levando, com tapas no rosto, torcidas no braço, chutes nas costas, em determinada hora, quando eu caía novamente no chão, ele apertou e torceu meu braço, justamente onde estavam os alfinetes. Com o aperto, um alfinete deslocou-se, podendo ser visto, com a ponta espetada para cima, embora continuasse dentro da carne, não saindo totalmente para fora. Meu braço começou a sangrar.

Eu não podia dizer nada mas, ao final da surra, mandaram-me para a enfermaria, onde o médico deu seu diagnóstico, pondo uma observação que eu estava com agulhas nos dois braços.

O Sr. Humberto sabia, todos da casa estavam a par do ocorrido e sabiam também que eu teria que ser submetido a uma cirurgia para que fossem retirados os alfinetes, antes que eles começassem a deslocar-se pelo meu corpo.

Mas, para espanto de todos, mesmo depois de as outras duas meninas terem se entregado ao diretor, contando a ele que estavam com agulhas no corpo, ao invés da cirurgia fomos para o castigo. Era a marcha das 4h da manhã até a meia-noite.

Naquele tempo fazia muito frio e o castigo tinha que ser cumprido somente de shorts e camiseta, sem poder tomar banho. Almoçávamos apenas depois que todas terminassem. A comida já estava sempre fria e não comíamos mistura, somente arroz e feijão com uma caneca d'água.

As outras meninas tentavam, às vezes, nos dar mistura ou um pedaço de sobremesa, cigarro, mas sempre havia um vigilante que ficava nos olhando. Portanto, se eles pegassem alguém nos dando algo, punham a menor de castigo, também, só que na copa, para lavar as bandejas.

O uso do banheiro só poderia ser feito na hora do almoço ou jantar, tínhamos dez minutos contados no relógio para isso tudo e depois o retorno ao castigo.

Ficamos marchando durante três dias, depois imploramos a ele que nos tirasse do castigo; dormíamos às quatro horas correspondentes ao descanso, em um colchão apenas, para os três, e somente com um cobertor.

Na parte da manhã, às dez horas, tínhamos que fazer alguns exercícios de educação física, bem difíceis; talvez pelo fato de estarmos marchando, não conseguíamos fazê-los, pois nosso corpo doía muito e era comum que chorássemos. O Sr. Humberto ficava assistindo e, quanto mais chorávamos, mais ele ria dizendo: "Vamos!" Ficava mais contente ainda quando eu chorava, ele parecia um rei, a quem ninguém poderia jamais se igualar, pois nós, tanto quanto os funcionários, éramos inferiores para ele.

À noite, apesar do frio, e ele querendo, ao que parece, aproveitar-se da situação, nos deixava paradas, em sentido, como em um exército. De dia, quando havia sol, nos colocava na mesma posição, com as mãos para trás, olhando para o sol, sem fechar os olhos. Nossos olhos choravam, mesmo sem querer, mas o sol ardia e nos era inevitável chorar.

Enquanto marchávamos ele nos acompanhava, lentamente, cantando uma música que ele mesmo compôs, e que dizia somente:

"Peru, Peru, Peru, quantas agulhas tens no cu".

Essa frase se repetia por inúmeras vezes, e ninguém poderia sorrir ou mesmo ameaçar, senão, conforme ameaça dita por ele, a menor teria mais uma "surrinha" para acariciá-la. Mal sabia ele que nenhuma de nós estávamos com a mínima vontade de sorrir.

Terminado o castigo, fomos finalmente submetidas à cirurgia, sendo que um dos alfinetes eu próprio retirara. Quando voltamos do hospital, mesmo com os pontos nos braços, seio, tivemos que cumprir o castigo de lavar as bandejas e limpar toda a copa, isto é, limpar o chão, lavar as bandejas, limpar as mesas, isto embora o médico ter recomendado que os locais onde foram dados os pontos não sofressem esforço algum, que evitássemos o máximo possível nos movimentar, para que os locais não sofressem alteração alguma. Eu pensei que tudo estava bem, já havíamos nos rebaixado demais para o diretor, e as agressões da parte dele não me eram mais tão importantes pois eu havia apanhado demais e, portanto, perdido o medo. Foi aí que resolvi. Ele queria guerra, então iríamos guerrear e, infelizmente, eu, pela primeira vez, senti um sentimento que eu não queria ter por nenhuma pessoa com quem eu residisse, pois o clima se tornaria horrível. Depois o ódio é algo ridículo, que muito me entristece. Mas ele não me entendia; talvez pelo fato de que eu torne muito aparente em minhas poesias o sentimento humano, uma generalização geral para com todos os homens. Isso me atingia muito, saber que no mundo, apesar de tudo, ainda se encontram pessoas que não têm o mínimo de solidariedade humana. Sei que muitos concordam comigo, mas, por outro lado, existe sempre um alguém para rebaixar, humilhar, pisar, esbofetear o rosto, isto é, ferir com brutalidade justamente o lugar que um dia fora beijado por uma pessoa muito mais importante, para muitos, de que qualquer outra pessoa: a nossa genitora, a mãe.

Nem eu mesma me recordo de ter recebido um dia esse beijo mas, ainda assim, trago em minha face e em minha mente o poder de amar todas as vezes que me recordo de quem faleceu e fechou os olhos sem antes me dizer adeus, da impura da qual eu tenho orgulho, minha mãe.

XIX

Após a cirurgia ficou impossível a nossa fuga, pois o motorista nos trancava na perua assim que saíamos do consultório médico.

Durante duas semanas com os pontos no braço, tivemos que cumprir o castigo de lavar as bandejas e limpar todo o refeitório.

No término de mais esse sofrimento, tudo parecia ter acabado, mas eu não sabia que muitas coisas teria que suportar ainda.

Na Febem, os "machões" tinham sua mulher, isto é, outra menor da mesma unidade e, dependendo do casal, uniam-se a eles outras meninas que se colocavam no papel de filhas ou filhos. Assim sendo, havia inúmeras famílias lá dentro, algumas pequenas, outras imensas.

Na época em que eu assumi um compromisso sério em minha vida, do qual até hoje não me libertei, Ivete, esse era o meu compromisso, nós ficamos juntos durante quase dois anos, até que ela foi encaminhada para a UE 16, outra unidade situada à Av. dos Imigrantes, eu era filho de outro "machão", que se chamava Cláudia, e tinha diversos outros filhos e filhas.

O tempo foi passando e aquela aura imensa que havia ao redor de Cláudia foi se acabando e eu fui ocupando seu lugar, não em termos de família, pois eu tinha a minha família, mas não um número tão grande de filhos, mas sim diversas mulheres, tantas que em um tempo me apelidaram de "galo", pois eu não tinha uma só mulher, tinha sempre uma fixa, mas por outro lado inúmeras na unidade e também em outras unidades da Febem.

Nessa época alcancei o auge, meu apelido se espalhou por todos os lados, meninas que chegavam novas, entravam perguntando quem era o Bigode, pois ouviram falar de mim, ou na unidade de recepção, ou então no centro da cidade, enfim, sempre tive muita vaidade, mas com tantos elogios, eu só poderia me sentir cada dia mais importante, de tanto que falavam de mim.

Entretanto, apesar das aparências, não era só a imagem de "machão" que fazia com que me dessem tanto valor; era também muito comum as meninas me perguntarem como eu havia feito para assumir tudo, perante todos, e também se eu não sentia medo de apanhar dos funcionários ao me impor perante as agressões deles. Enfim, atrás de todas as coisas boas que diziam de mim, também havia as coisas ruins, que não eram ditas e sim gritadas, aos pontapés e muitos e muitos tapas no lugar em que um ser humano sente dupla dor, em sua própria face.

A minha resposta não poderia ser outra, eu já estava acostumado a apanhar e, portanto, não tinha mais medo de nada.

Uma ocasião, fiquei muito chateado ao ver uma menor chamada Mônica apanhar do diretor na fila de entrada para o refeitório, na hora do almoço.

O diretor começou xingando-a, então prestei atenção para saber do que se tratava. Ela abaixou a cabeça e nada respondeu. As meninas rezaram e, ao terminar a reza, o diretor prosseguiu, dizendo a Mônica que ela teria que rezar alto, pois ele queria ouvir.

Mandou que ela rezasse sozinha e ela rezou, chorando. Ao terminar, quando dizia: "Em nome do Pai, do Filho, do Espírito Santo"... ia dizer "Amém", ele a esbofeteou, dizendo "Amém". Jogou-a no chão e prosseguiu na surra, com pontapés, quando ela caiu no chão. Depois ele se virou, dizendo a ela que não havia acontecido nada, só estava ensinando a rezar.

Nesta época havia na UT 4 um funcionário, inspetor de alunos, chamado Marcos, o braço direito do diretor, que era chamado sempre em assunto de espancamento.

E, fora isso, nós percebíamos que esse funcionário vinha trabalhar às vezes, alcoolizado, até que um dia nossa raiva por tal homem aumentou, pois ele, tendo sido chamado para bater em uma menor, com o nome de Sílvia, isolou o pátio atrás da unidade, e foi pra lá, onde ela iria ser espancada.

Ouviam-se muitos gritos, ele a xingava, e ela gritava, soluçando. De repente o silêncio se fez, e Sílvia saiu de lá, indo em direção à enfermaria. Quando ela passou por nós, chorava muito e, tapando o rosto com as mãos, percebemos que sua boca sangrava, que seus olhos estavam inchados. Apesar da sua face escura, já se notava a cor roxa ao redor de seus olhos.

Quando Sílvia saiu da enfermaria, estava com um pano na boca, mas nos mostrou o porquê do sangramento; com inúmeros socos no rosto, ele lhe havia arrancado um dente. Dois outros dentes ficaram tortos, afundados para dentro da boca; suas costas estavam esfoladas e, durante longo tempo, Sílvia permaneceu com os olhos e boca inchados de tal maneira que sua fisionomia modificou-se completamente.

Mas eis que um dia, no horário do banho (havia pouquíssimas toalhas, portanto nos enxugávamos com pedaços de colchas velhas, que eram passadas de uma para outra) ele cometeu um erro...

Uma funcionária ficava tomando conta enquanto tomávamos banho. Nesse dia estava de plantão a funcionária Dulcineia, chamada por todos "Dudu". A fila do banho era enorme. Eu estava deitado na minha cama, no dormitório em frente ao banheiro e havia mais três meninas sentadas ao meu redor, conversando, até que a fila estivesse mais curta.

A entrada de homens era proibida ali, no horário do banho, mas nesse dia o famoso tio Marcos entrou em nosso quarto, começou a dizer algo e já percebemos que ele estava bêbado. De repente, pulou em cima de uma das meninas que estava conversando comigo, tentando tocar o pescoço dela com sua boca. Então nós nos atiramos nele, dando-lhe murros e tapas nas costas, enquanto outras gritavam pela tia Dudu, que estava dentro do banheiro. Conseguimos tirá-lo de lá, sem que ele tenha feito nada à menor Rosângela, a não ser machucado um pouco seu pescoço, enquanto tentava deitar-se sobre ela.

Saindo de lá, ele se dirigiu ao banheiro, onde agarrou a funcionária Dudu, deixando eu seu pescoço uma leve marca roxa, feita por seus dentes.

Acompanhado por todos os gritos das meninas, que o xingavam, ele saiu, finalmente.

Era sábado e o diretor não estava na unidade. Os funcionários ficaram a par do acontecimento e, na segunda-feira, eu e Rosângela fomos até a diretoria logo que o Sr. Humberto chegou contar a ele o ocorrido. Nesse mesmo dia tivemos o prazer de ver o brutal Marcos arrumar suas coisas deixando a unidade.

Logo depois nos chegou a notícia de que ele estava morando com uma das ex-menores da Febem, Gislene que, mesmo na unidade, mantinha contatos íntimos com ele.

Com a saída do tal funcionário, seu lugar foi ocupado por outro chamado Abel, que já trabalhava lá há muito tempo, vindo, logo depois, como que de reforço, mais dois funcionários: Haroldo e Antônio, este conhecido com Deicão.

É difícil para mim relatar todos os fatos pela ordem. Portanto, tentarei, da melhor maneira possível, esclarecer as misérias que ficam escondidas por trás dos quatro muros da Febem e dos quais muita gente não tem o mínimo conhecimento.

Haroldo e Deicão trabalhavam quase que sempre alcoolizados e, normalmente, na hora do banho, Deicão saía da unidade, indo comprar pinga, que era trazida para dentro da unidade dentro de vidros de desodorante. Essa compra era feita ali mesmo, no barzinho ao lado da unidade, em um pequeno campo de futebol.

Sabíamos disso por intermédio de uma das menores, Maria José Miranda, chamada por Mirandinha. Esta trocava, muitas vezes em frente às outras menores, carinhos com o Deicão e, quando ele bebia fingindo estar dançando com ela, ficavam se esfregando um no outro. Portanto, era normal que ela soubesse muito dele e, contando a uma amiga, a notícia foi se espalhando até que todos sabiam e notavam, mas nada faziam.

Uma ocasião, estava eu na triagem, de castigo, por ter bebido álcool, conheci bem de perto Haroldo e Deicão.

Meu castigo na triagem era de um mês, após esse prazo eu retornaria à Educacional. Uma noite acabou a força de repente. Já estávamos para dormir, sendo que eu não podia dormir no quarto e sim no refeitório, que estava cheio de meninas, deitadas em colchões grudados, por falta de espaço e de camas.

Quando a luz se apagou, os gritos ecoaram pela unidade. Não havia mais ninguém no pátio, cada uma estava em sua devida ala.

No refeitório da triagem, as mesas tinham sido encostadas todas em um canto da parede e, em cima das mesas, as cadeiras.

Eu estava no canto oposto às mesas, mas admito que estava gritando, também, acompanhando a algazarra das outras.

Num momento, alguém, que não se sabe até hoje, pois estava escuro, empurrou todas as cadeiras das mesas de trás para frente, fazendo um barulho terrível.

Aí entraram no refeitório, com lampiões, Haroldo, Deicão e Cabral. Cabral era severo quando necessário, mas nunca cheguei a vê-lo encostar sequer um dedo em uma menor; ele preferia o diálogo e isso o tornava muito nosso amigo, para qualquer hora, fosse na hora em que ele nos desse bronca, conselhos, e até nos momentos em que cantava óperas pela unidade divertindo a todos por onde passava. Por tudo isso ele sempre foi, pelo menos ao meu ver, o funcionário mais respeitado por todas as menores, não através de ameaças como os outros, mas sim uma maneira de retribuir à amizade e confiança que ele oferecia a cada dia.

Bem, voltando ao fato que eu estava a relatar, eles entraram no refeitório, tentando apurar a causadora daquela avalanche de cadeiras.

Haroldo ia perguntando, de uma a uma, e quem respondia que não tinha sido ela, dependendo da menor, já levava bofetões na orelha.

Até que ele bateu muito em uma menor que estava em um dos quartos e a funcionária do noturno foi defendê-la, dizendo que ela não estava no meio da bagunça.

A funcionária, então, começou a ditar os nomes de quem estava gritando e, por outra vez, meu nome não escapou na lista.

Fomos para fora do refeitório, apanhamos um pouco e depois fomos levadas ao quartinho da portaria, onde iríamos levar o "pau".

Chegando lá, fomos espancadas violentamente por Haroldo e Deicão. Ficamos em pé, uma ao lado da outra, e eles iam passando de uma a uma, dando tapas na orelha que nos deixava surdas, socos no estômago e muito tapas no rosto; enfim uma surra completa.

Após um completo rodízio de pancadas, eles disseram que iríamos dormir naquele quartinho, aquela noite, sem colchão, cobertor, nada: dormir no cimento.

Eram aproximadamente 3h da madrugada, eles se retiraram dizendo que às 5h voltariam, para continuar.

O quartinho foi trancado, estávamos em umas quinze menores e não havia espaço suficiente para todas; portanto, nos acomodamos como podíamos, nosso corpo doía, dificultando ainda mais um descanso pelas próximas duas horas. O cansaço e a dor tomou conta de nós e adormecemos como que num pesadelo que não tinha mais fim.

Logo acordamos, levando pontapés, aos gritos dos dois, dizendo que eram 5h; nós nos levantamos rapidamente, ficamos na posição anterior, isto é, de frente para eles, encostadas na parede, e teve início novamente nosso tormento, dessa vez bem mais severo. Eles batiam, batiam e algumas não aguentavam e se jogavam no chão deixando que eles chutassem até que se cansassem... Muitas lágrimas rolaram, muito sangue de narizes e bocas pingaram no chão, mas eles não se importavam, muito pelo contrário, nos ofendiam com palavras de baixo nível, esbofeteavam e cinicamente se divertiam, rindo de nosso pranto.

Quando chegaram até mim, pararam e comentaram...

– Olhe quem está aqui, o homem da casa, o machão sem rola... E as palavras iam piorando cada vez mais, só por esta frase tenho certeza de que podem imaginar o restante.

Até que Haroldo iniciou, dando-me um empurrão, bati meu corpo fortemente no Deicão e com um tapa violento no rosto ele me devolveu a Haroldo, que me encostou na parede, mandou que eu colocasse as mãos para trás e me deu uma rasteira. Quando caí, ele me chutou as costas; não pude evitar um grito de dor. Continuou a me chutar, até que consegui me levantar. A seguir veio Deicão que, simplesmente, mandou-me colocar as mãos na nuca enquanto espancava meu rosto, de um lado para outro.

Enquanto me batia sempre no rosto, dizia...

– Abaixa a cabeça, homem como você tem que abaixar a cabeça pra mim.

Mas meu orgulho era forte, apesar do corpo não estar aguentando mais. Ele queria que eu chorasse, abaixasse a cabeça, mas eu fui até o fim.

Com a cabeça erguida, olhando para ele, jamais esquecerei seus olhos sádicos, que brilhavam enquanto me batia! Ele se cansou, parou, olhou para mim e me mandou tirar a cueca. Eu balancei a cabeça, me negando... Ele me jogou violentamente no chão, pisou em minha barriga, depois chutou meus pés e saiu. A porta se fechou novamente, eu fiquei no chão, do mesmo modo como ele me deixou. Era incrível, as meninas choravam, reclamando esta ou aquela dor, mas eu não queria reclamar, nem chorar, nada, eu queria que tudo acabasse naquele instante, queria fechar os olhos e dormir, para sempre. Pensei morrer...

Mas, ao mesmo tempo, eu não me sentia derrotado. O fato de apanhar daquele modo não desfez minha personalidade. Afinal de contas, eu não era responsável pela existência de tais homens. Meu rosto queimava, mas eu me sentia maior que eles.

Ninguém mais dormiu e também ninguém falava. Para todas as faces que se olhava, somente se via dois olhos abertos, fixando a parede, ou olhos baixos no cimento do quarto.

Às 7h eles voltaram, tiraram-nos para fora, e nos levaram para o pátio, onde começamos o castigo de varrer o pátio todo, limpar o refeitório, arrumar as camas pela manhã, enfim, tudo que tinha que ser limpo.

O castigo durou duas semanas. No término dele, nós não sabíamos falar mais nada a não ser fazer queixas de dores pelo corpo.

Mas eu tinha algo a fazer, tinha que conversar com a funcionária do noturno, para saber dela por qual motivo me entregou naquela noite.

A resposta dela foi tão ignorante quanto a sua pessoa...

– Ora, falei seu nome porque foi uma de vocês que empurrou as cadeiras. Não fui injusta, pode não ter sido você, mas a culpada, com certeza, apanhou também.

E é assim que confirmo algo que disse há alguns capítulos atrás. Na Febem ninguém é tratado como um indivíduo, todos são generalizados, mas, infelizmente, do pior modo possível.

XX

Prosseguindo no relato dos acontecimentos do dia a dia, lembro-me de uma noite, à hora da chamada, o sinal das 10h soou e todas as menores foram para a sala de televisão.

Havia uma menor (machão) que era conhecida pelo nome de Ângelo, mas seu nome verdadeiro era Rosângela. Essa mantinha há algum tempo relacionamento íntimo com outra menor chamada Hilda.

Na sala de televisão, a chamada já fora iniciada por um funcionário, quando entra o diretor, Sr. Humberto. A chamada cessou e ele perguntou, em voz alta, quem era o tal de "Ângelo" ali dentro; não obteve resposta. Continuou, dizendo que havia recebido reclamações de uma funcionária que disse ter visto Hilda e Ângelo se beijando um pouco antes das dez horas daquela noite.

E andava de um lado para o outro da sala de televisão, olhando para cada uma vagarosamente, nossos olhos o acompanhavam, pois já conhecíamos seu jeito bruto e repentino de bater.

Novamente ele retornou à pergunta, dizendo que queria saber onde estava o Ângelo, caso contrário, todas nós iríamos dormir somente após a meia-noite.

O silêncio não demorou muito a ser quebrado. Uma das menores, com medo de apanhar, disse que queria ir dormir logo por causa do frio e apontou Ângelo para o diretor.

O diretor sorriu, pedindo à menor que se aproximasse dele. Ângelo andou, ficaram frente a frente. Sr. Humberto lhe deu um violento tapa, fazendo-a bater contra a porta e, quando foi repetir novamente, para dar prosseguimento à surra, ao invés de bater em Ângelo, bateu a mão com força na quina da porta...

Rapidamente fez com que Ângelo massageasse seu dedo, em frente a todas nós e, depois da massagem, que fora feita de joelhos, obrigou-a a beijar seu dedo pois estava doendo.

É evidente que a menor fez tudo isso obrigada para não apanhar. Após a cena ridícula, o diretor disse que ela era um machão bem macho, pois todas viram como ela beijou seu dedo com carinho.

Antes de se retirar da sala, na porta, se voltou, olhou para mim, e disse num tom cínico:

-- Cuidado, Sandra Mara, que você só vai sair daqui quando estiver de bigode branco.

Não havia motivo para tais palavras, pois naquele dia eu não havia feito nada de errado, mas eu não pude nada dizer.

Aliás, não foi essa a única ocasião em que tivemos que ficar caladas. Muitas vezes fomos até tratadas de modo imoral, mas é bem melhor calar-se do que retrucar para receber algo pior.

Como na ocasião em que uma das menores, Regiane, fugiu e, ao pular o muro, machucou a perna. Na mesma noite a perua da unidade de recepção a apanhou e na noite seguinte ela já estava retornando à Vila Maria, com dificuldade em andar e com o tornozelo bastante inchado.

Quando na chamada o Deicão falou seu nome, ela respondeu "presente", mas demorou a passar pela porta, pois sua perna dificultava sua locomoção.

Ele chamou de novo, gritando. Ela respondeu que estava indo, mas quando passou por ele, ele a olhou dos pés à cabeça, e lhe disse...

– É isso que dá ser prostitua, vai para rua um dia e uma noite e volta desse jeito. Tá doendo as coxinhas, bem?

E riu alto. Regiane se voltou e respondeu que não era a puta com quem ele ficava se esfregando na frente de todas.

Ele se irritou e disse a ela para ir para o paredão.

Paredão era a parede da sala onde ficavam encostadas todas a meninas que iam apanhar naquele dia. Chamado o nome ou ia dormir ou então, conforme o funcionário, teria que ficar no paredão e esperar o término da chamada, para apanhar e limpar o pátio.

Essa fase do "paredão" foi talvez a pior de todas na Febem, pois qualquer rumor citando o nome de alguma menor, era certo que, à noite, esta teria que ficar no paredão.

Diversas vezes o paredão transformava-se em uma fila de menores que eram obrigadas a encostar na parede e esperar pelos funcionários noturnos.

Às vezes, a menor respondia a alguém mal, ou qualquer outra coisa de menos e já era avisada, na hora, que à noite estaria no paredão; isso além de apanhar no próprio momento do "erro".

As meninas que entravam e conseguiam escapar ficavam nas janelas do banheiro, olhando o que acontecia lá fora.

No começo foi difícil a nossa adaptação a tal atividade noturna, mas logo todas já sabiam o significado da palavra "paredão".

Geralmente a surra era dada por dois ou três funcionários de plantão, e cada qual pegava as menores que haviam sido colocadas ali por um outro motivo.

Quem criou o paredão foram os três funcionários mais conhecidos na casa, Haroldo, Deicão e Abel, na direção e com todo apoio do diretor, Humberto Marini Neto, passando depois pela direção da diretora D. Marlene. Encerrou-se totalmente, não somente o paredão como também os espancamentos diários, na direção da diretora, que, tenho certeza, jamais será esquecida por qualquer menor que foi da Febem naquela época, D. Volúnia, uma mulher que lutou com todas as suas garras para conseguir retirar os malefícios criados dentro da Febem, que tornou o diálogo mais importante que qualquer outra meta, portanto, merecedora de muitos elogios e inclusive, num momento em que pensei nela, resolvi fazer uma poesia em sua homenagem. Não me recordo inteiramente, mas sei uma frase que a distingue com amor em meu peito:

> "Ela é tristeza que falece a qualquer hora, ela é chuva que molha o rosto de quem chora".

Bem, sei que é bom saber que existem coisas e pessoas boas, mas infelizmente tenho que falar das coisas ruins também; portanto, volto ao tempo do Sr. Humberto.

Enquanto estive na Febem, outro fato muito desagradável, mas que éramos obrigados a ver sem nada poder fazer ou opinar:

Menores completamente sãs serem enviadas ao sanatório.

Sei que se torna difícil acreditar que um órgão, especializado em regenerar menores, tentar fazê-los ver a vida e as circunstâncias das coisas ruins, enfim, um local que, pelo nome, dá apoio e segurança ao menor, possa fazer tal coisa. Mas, infelizmente, confirma-se o ditado: "Um livro não se reconhece pela capa".

Dos casos que me recordo foram Maria Inês, Alzira, Célia, Fátima, Jussara, entre outras, mas essas são as que mais me afetaram saber de tal destino.

Quando saí da Febem não tive notícia de nenhuma delas, a não ser de Alzira, que foi pela primeira vez, estando completamente sã e, após o seu retorno, não se reconhecia mais a menor.

Todas as vezes em que ela voltava contava-nos que tomava diversos remédios e injeções, choques, portanto retornava impregnada.

Depois de tantas idas e voltas, a última vez que a vi foi quando fui visitá-la, junto com uma funcionária enfermeira da Febem. Ela estava numa casa de doenças mentais próxima ao Horto Florestal.

Foi enviada para lá pois, no seu último retorno à Vila Maria, ela deu uma facada nos pés de uma funcionária, isso comprovava para quem a mandou para o sanatório pela primeira vez, ou seja, o Sr. Humberto, que ela era certamente louca. Mas para nós, que vivíamos juntos no mesmo local, estudávamos, enfim, sabíamos muito uma da outra, era um absurdo.

Quando a fomos visitar, a enfermeira me disse que Alzira jamais iria conseguir ser uma menina normal novamente, isto é, seu caso era, já, uma vida perdida e sem possibilidade alguma de iluminação, um crime, mas um crime tão mais hediondo, quando se pensa que ficará camuflado e, por não comprová-lo, impune. Impunidade que possibilitará a sequência de ações idênticas, miseráveis, animalescas. Se até os animais têm quem lute por eles, onde ficam os direitos humanos, um mínimo de direito humano em casos como o dessas menores.

Essas palavras não significam, de modo algum, que se tenha dito tudo sobre o caso de Alzira. Mas prefiro deixar o restante à consciência de cada um, pois talvez nem eu mesma tenha conseguido com elas traduzir aquela realidade e aqueles crimes contra o direito de qualquer ser humano, ou seja, viver, pensar e ter noção correta de seus próprios atos.

Outro caso desagradável, do qual até hoje me arrependo e guardo somente em minha responsabilidade, pois, apesar de estarem outros envolvidos no presente relato, eu, apesar de tudo, me coloquei como culpado, sozinho.

Este fato, para poder esclarecê-lo, tenho que voltar a falar dos "machões" e de suas filhas, pois ambos estão envolvidos.

Na época eu tinha uma mulher, Ivete, e algumas filhas dentro da unidade, e sabia que muitas de minhas filhas não me apreciavam tão-somente pela consideração de pai. Eu recebia, muitas vezes, cartas das mesmas, dizendo que deixariam de ser minhas filhas caso eu não desistisse de meu relacionamento com Ivete. Mas eu gostava muito dela, portanto, conseguia ter mais filhos, isto é, meninas caracterizadas de homens, pois as meninas normais não me aceitavam somente como um pai.

Havia uma delas, Alcione, que há muito tempo me remetia cartas por outras meninas. Eu lia, mostrava a Ivete, mas nunca me interessei por nenhuma das coisas que Alcione me dizia.

Suas cartas eram frequentes. Numa certa altura as mesmas diziam que ela, Alcione, era virgem e que queria perder sua virgindade, desde que fosse comigo; como eu nunca respondesse às cartas, recebia outras, me rebaixando, xingando-me de viado, brocha e outras coisas mais.

Uma noite, estávamos eu, Cláudia, Isabel e Xem-Xem (todos iguais a mim) conversando sobre o que iríamos fazer naquela noite, quando recebi uma carta de Alcione, dizendo que estaria no banheiro, e que se eu fosse realmente um homem deveria ir até lá.

É óbvio que ela não queria dialogar comigo, pois citava também que eu iria ter provas de que ela era realmente virgem.

Como estávamos juntos, lemos a carta, e observamos depois que Alcione se dirigia ao banheiro. Eu não queria ir, não me interessava, ela não me dizia nada; entretanto, resolvemos ir, os quatro.

Chegando ao banheiro, fechamos a porta, um de nós permaneceu encostado na porta para que ninguém entrasse.

Alcione ficou encabulada mas, ao mesmo tempo, sorria. Cláudia começou a tirar as roupas dela, ao que ela não se opôs, apenas reclamou um pouco, dizendo que ela havia me chamado, portanto, não queria mais ninguém ali.

Conforme Cláudia tirava suas roupas, nós dávamos risada, pois seu corpo era tão feio, dando uma impressão de deformado em todos os lugares.

Perguntamos a ela se era mesmo virgem, ela afirmou, e então fomos fazer um teste com as mãos, para tentar provar que estávamos certos, pois não pensamos, nem por um momento, que ela estivesse falando a verdade.

Eu fui colocado para o teste, pois outro ela não aceitava. Toquei levemente sua vagina e, com a ponta de um dos dedos, na entrada da vagina de Alcione, tentei empurrá-lo para dentro, no que não tive dificuldade alguma, pois havia uma largura um tanto exagerada, sendo até possível Cláudia introduzir quatro de seus dedos em sua vagina.

Nos rimos dela, que continuou afirmando ser virgem e depois, passamos ao seu ânus, que eu não quis ver, mas os que viram saíram do banheiro a dar risadas.

Passados uns minutos, Alcione sentou-se num banco, na frente de onde eu estava; percebi que ela estava chorando. Ela foi contando a algumas meninas o que havia acontecido e, no dia seguinte, quando Abel chegou, tomou conhecimento do ocorrido.

Ele parecia calmo mas, logo depois, na hora do lanche, quando eu saía da secretaria, vi muitas meninas passarem correndo para o pátio de trás da unidade. Perguntei o que estava acontecendo. Então me disseram que Abel havia espancado Cláudia e a estava arrastando por um dos braços no pátio levando-a para a secretaria.

Quando soube o que estava acontecendo, não tive dúvidas, dei a volta correndo no pátio, bati na porta da secretaria, onde Cláudia gritava de dor, e me entreguei, mas quando a porta se abriu, não precisei dizer nada, ele disse apenas... Ah! você também..., e me puxou pra dentro, começou tudo novamente, mas eu estava preparado, pois sabia que muitas coisas ainda iriam acontecer naquele dia.

Logo após, Isabel foi levada até lá por outro funcionário e, acompanhados por Abel e João, fomos levados para o pátio de trás onde iríamos apanhar.

Depois de uma tremenda surra, fomos para a enfermaria, onde nos fizeram alguns curativos, principalmente no braço de Cláudia. Quando chegou pela última vez, já estava com tais pontos, pois ela fora baleada na rua.

Ficamos na copa, trabalhando, durante uma semana.

Vencido tal prazo, Sr. Humberto disse que Cláudia e Isabel continuariam na copa, e eu teria que ficar na cozinha.

Não gostei de sua decisão e demonstrei isso a ele, mas ele gostava de me humilhar e disse que no dia seguinte eu iria para a cozinha e ficaria lá durante um mês, de vestido, e teria que raspar as pernas.

Foi então que não aceitei sua decisão, conversei com Aninha e marcamos de imediato que fugiríamos no dia seguinte.

Outras menores se juntaram a nós.

No dia seguinte fui para a cozinha, normalmente, e fiquei esperando que chegasse o caminhão de verduras, pois sabia que as verduras chegavam em enormes caixotes. Iria me aproveitar disso.

Quando o caminhão chegou, ajudei a colocar os caixotes na porta da cozinha e, depois das verduras serem recebidas, a funcionária da cozinha se esqueceu de guardar os caixotes no almoxarifado, deixando-os na porta, do lado de fora.

Logo soou o sinal para o lanche, chamei as meninas, rápido, e combinamos um modo seguro, sem que precisássemos correr risco de sermos apreendidos.

Pegamos latões de lavagem e os deitamos perto do muro, um em cima do outro. Quando os vigilantes viram, correram para onde estávamos e nós corremos para o outro lado, onde ficava a cozinha.

Enquanto os vigilantes se preocupavam em retirar os latões do muro, nós pegávamos os caixotes da cozinha, e os encostamos no outro muro. As meninas se alvoroçaram vendo-nos passar pelo pátio com os caixotes.

Uma menina alta subiu em cima dos caixotes, e lá em cima nos dava "escadinha", para que conseguíssemos alcançar o muro.

Eu fui o primeiro a pular e sentir meus pés se chocarem naquele outro lado do mundo. Nossa fuga não foi tão grande. Fugimos em seis menores, pois as outras foram repreendidas pelos gritos do vigilante que se aproximava.

Além de nossa fuga e do meu castigo, não fugíamos apenas por esses dois fatores, mas o que dava mais ênfase ao nosso ato era que estavam faltando apenas quatro dias para o carnaval.

Não tínhamos destino, portanto decidimos ir para o centro da cidade. Arrumamos dinheiro para o ônibus com um senhor, dizendo-lhe que estávamos perdidos.

E assim fomos para o Parque D. Pedro.

Ao descermos do ônibus, pretendíamos ir para a Av. São João, onde se encontram muitos menores da Febem.

Não havíamos ainda gozado de dez minutos de nossa liberdade, quando vimos um carro da polícia (camburão), que vinha em direção contrária à nossa.

Tentamos não olhar para os policiais, mas, quando percebemos, o camburão havia parado do outro lado da rua e alguns policiais se dirigiram a nós, pedindo documentos.

Não tínhamos documento algum e, na mesma hora, nos levaram ao Degran – 1º Distrito Policial.

XXI

Ao chegarmos, nos encostaram em uma parede e começaram a fazer perguntas.

Dentro do camburão já havíamos combinado que eu diria ter 19 anos e as outras 18 anos, sendo que duas meninas moravam comigo e com minha mãe, e as outras não conhecíamos.

E foi o que dissemos. Havia diversos guardas ao nosso redor. De repente o silêncio se fez, e um senhor entrou no meio dos policiais, fazendo-os calar.

De imediato ele, como todos os outros, notaram os pelos em meu peito.

Havíamos combinado ser ingênuos a toda e qualquer pergunta sobre a Febem: homossexualismo paraíba (termo usado entre pessoas do centro da cidade, juizado de menores, e muito conhecido e pronunciado por policiais), enfim, seríamos totalmente diferentes do que éramos na realidade.

A apontando o dedo indicador pra mim, perguntou-me:

– Você é paraíba?

De imediato tive a resposta para sair daquela pergunta:

– Não senhor, sou paraense.

Os policiais riram, alguns saíram dali para dar risadas, pois não queriam rir na presença do homem que ali estava, o qual parecia ser o delegado. Eu continuei sério, fingindo não saber o motivo do riso.

Só isso bastou, mandou-nos para uma sala onde fomos revistados e lá a moça espantou-se um pouco ao ver minhas pernas e notar que eu estava usando cueca.

Saindo dali ela contou isso ao delegado, e, de imediato, ele quis saber de mim a razão da cueca.

Então respondi a ele que minha mãe era muito pobre, não tinha dinheiro para me comprar calcinhas, por isso eu usava cuecas do meu irmão.

Por mais uma vez o deixei sem saber o que dizer e, como já havíamos dito ser maiores, nos mandou para a cela, depois de assinarmos um termo de vadiagem.

Antes de entrar na cela, notei que a única coisa que havia ficado comigo fora uma poesia, que eu havia feito na V. Maria, na noite anterior à minha fuga. Um pedaço da folha de papel ficou aparecendo e o guarda que nos deu o formulário de prisão por vadiagem para que assinássemos perguntou-me o que tinha em meu bolso.

Mostrei-lhe que era uma poesia, ele pediu para ler e disse que não iria devolver, pois havia gostado. E mostrou essa poesia para outros policiais que lá entravam. Faço questão de escrevê-la neste capítulo:

A GOTA DE SANGUE

Eu decaí, eu persisti,
tentei por todos os meios ser forte.
Lutei contra o tempo, chorei em silêncio.
Gritei seu nome ao vento.
Sou filho da gota, fui templo de miséria,
meu pai, um perdido,
minha mãe, a megera.
Cresci vendo prantos, dormi em meio a mata,
chorei gotas sanguíneas, sou o pecado, sou a traça.
Eu ouvi seu grito de desespero,
Vi a lenta corrupção, vi o olhar do corruptor.
Vi a sua vida em fase de destruição, eu vi o assassinato
do amor.
Tentei, venci, porém um dia faleci.
A vitória conquistei, hoje estou na sua lembrança,
Sou talvez uma alma oculta, eu que fui sua esperança.

XXII

Entramos na cela, estava fazendo frio. Às vezes iam nos chamar e tínhamos receio de errar nas respostas, pois inventamos nomes para nós, nome dos pais, enfim, um erro seria, provavelmente, uma volta à Febem.

Ficamos numa cela que estava vazia; o dia demorou a passar naquele local úmido, fétido, pois ali mesmo, cercado por um murinho, ficava a latrina.

Estávamos com fome até que às 16h veio às grades da nossa cela um rapaz que estava fazendo faxina no corredor e nos deu um prato com comida. No prato de papelão coberto por um papel laminado havia apenas um pouco de arroz, um pedaço de frango frito. Estávamos em seis, mas não houve briga por causa da comida, pois ninguém quis.

Não sabíamos de onde tinha vindo aquela comida, mas depois o rapaz nos disse que foram os homens da cela ao lado que nos tinham mandado.

À noite, por volta das 21h, um guarda nos chamou, entregou nossos pertences, rasgou os papéis que havíamos assinado e nos deu a liberdade.

Saímos dali supercontentes, pois não tínhamos certeza absoluta de que não voltaríamos para a Febem e, de repente, estávamos na rua novamente.

Do Parque D. Pedro, fomos pra Rodoviária, e fiquei conhecendo um bar chamado “Bar do Bigode”. Lá estavam algumas menores que haviam fugido da Febem. Conversamos e elas e alguns amigos nos convidaram para tomar uma cerveja.

Entramos e lá ficamos conhecendo uma garota que dizia já ter sido da Vila Maria. Começou a nos contar que estava à procura de uma moça que, ultimamente, andava saindo com seu marido.

Eis que, de repente, ela saltou do banco do bar, saiu para a calçada e puxou, pelo braço, uma moça que passava, de vestido longo.

Fomos para a porta do bar a ver o que acontecia.

Era a moça pela qual ela esperava.

Foi empurrando-a, dizendo que seu marido estava preso e que ela teria que pagar para que o soltasse, só que ele iria ficar com ela. Disse também que a moça não mais procurasse por ele.

A moça ia concordando com tudo, e a outra foi empurrando-a para dentro da porta de um hotel ali ao lado. Falavam alto.

Logo pudemos ver a ex-menor sair correndo, jogando para cima uma faca que caiu próximo a um dos cantos da Praça Princesa Isabel.

Todos que estavam no bar saíram para ver, quando a moça que estava sendo agredida apareceu na porta do hotel, dizendo:

– Ana, chame um táxi para mim.

E aí vimos quando estendeu seu vestido e a calçada tornou-se vermelha de sangue que jorrava de sua barriga, como uma cascata d'água.

Logo seus olhos se tornaram brancos e ela caiu na calçada, deitada em um leito formado por seu sangue.

XXIII

Nós que havíamos fugido da Febem até então estávamos juntos, mas nos separamos. Eu e Aninha prosseguimos juntos, pois mantínhamos uma grande amizade.

Resolvemos fugir para Arapongas – Paraná, onde minha avó materna residia. Era a segunda vez que voltava ao meu local de origem.

Lá eu tinha certeza de estarmos seguros, pelo fato de ser uma pequena cidade e distante daqui.

Não tínhamos dinheiro para o ônibus, portanto o único modo de locomoção era pegar carona.

Foram diversas caronas até chegarmos em Arapongas: a última, um senhor deixou-nos próximo à rodoviária da pequena cidade.

Descemos do carro, e bastaria que andássemos umas duas quadras para chegarmos à casa da minha avó.

Mas, ao passarmos pela rodoviária, aproximou-se de nós um jipe, que parou. Percebemos, então, um homem a pé, que pediu nossos documentos.

O jipe tornou-se vazio, os policiais desceram, nos cercando e fazendo diversas interrogações seguidas.

Expliquei a eles que não tínhamos documentos, mas que minha avó residia próximo ao local, bastaria que nos acompanhassem até lá para se certificarem de que estávamos dizendo a verdade.

Mas foi impossível qualquer diálogo, puseram-nos no jipe e fomos para a delegacia.

Aninha foi chamada à sala do delegado.

Fecharam a porta e eu fiquei encostado na parede. Dois guardas me vigiavam.

Aninha saiu e chegara a minha vez.

O delegado disse que eu mantinha um relacionamento íntimo com ela e que eu era um garoto.

Forçaram-me a tirar toda a roupa na frente do delegado e de quatro policiais, deixando-me apenas de cueca.

Em seguida me vesti, apanhei com palmatória e logo me obrigaram a *caçar petróleo*.

Caçar petróleo: significa tocar o chão apenas com a ponta do dedo indicador da mão direita e girar ao redor do dedo sem tirá-lo do chão.

Durante uns dez minutos eu fui sujeito a isso; quando eu não conseguia mais mover meu corpo por causa da dor, me batiam com a palmatória nas costas para que eu continuasse.

Depois me levaram para a cela onde dormimos em uma cama de cimento.

No canto da cela havia uma ponta de cigarro. Somente Aninha fumava e pediu ao guarda que estava na porta da cela para que ele acendesse.

Ele emprestou o fósforo para que ela acendesse, mas pôde apenas dar duas tragadas, pois disse que estava com um gosto horrível de mofo, jogando-o no chão da cela.

O guarda foi embora, retornando com outros policiais, dizendo em voz alta para eles:

– Eram esses daqui, estavam puxando um fumo.

Não tivemos a quem retrucar, tiraram-nos da cela e nos fizeram limpar e lavar quase que todos os compartimentos da delegacia. Apesar da tentativa de desmentir o policial, de nada adiantaram nossas palavras; ele era maior do que nós em todos os pontos.

Após a limpeza, fomos dormir e, no dia seguinte, o delegado disse que nos levariam à casa de minha avó, para confirmar se eu havia dito mesmo a verdade.

Eu temi que minha avó desmentisse o fato de Aninha ser minha prima.

Enquanto nos dirigíamos para lá vi pelos furos na parte de trás do jipe minha avó. Bati na porta, avisando os policiais.

Eles a chamaram e perguntaram se ela tinha alguma neta com o nome de Sandra Mara, ela confirmou, dizendo que eu morava em São Paulo.

Pediram para que ela os levasse até sua casa que ficava na mesma rua.

Ao chegar, conversaram com ela e somente depois abriram a porta do jipe para que eu e Aninha descêssemos.

Ela me reconheceu rapidamente, estava assustada e minha irmã Rosana chorava no portão.

Ao ver Aninha minha avó desmentiu qualquer parentesco.

Mas o delegado lhe disse que se eu ficasse ela teria que ficar também, caso contrário eu seria entregue junto a ela ao Juizado de Menores de São Paulo.

Minha avó aceitou, os policiais partiram. Só então tive a oportunidade de abraçar minha irmã que chorava, perguntando se eles haviam me machucado.

Olhei para ela, que tinha os olhos pretos e tristes, seu vestido velho, estampado com cores gastas e apagadas, suas pernas machucadas, suas mãos ásperas pela máquina de moer café.

Ela me abraçava e chorava em meu ombro, depositando ali toda a saudade dos onze anos que ficamos longe, sabendo-se apenas que nascemos na mesma casa que cheirava a pobreza, o teto quase que todo solto pela ventania e ao redor da casa a terra seca e dura por onde caminhamos juntos, descalços, com as solas dos pés arranhadas.

À tarde meu avô chegou. Como estava velho, com o rosto enrugado, as mãos calejadas, escassos fios de cabelos negros, roupa suja de homem do campo, bota furada nos pés cansados, olhos fundos de orgulho próprio e voz não grosseira mas rouca e profunda.

À noite, esteve na casa de minha avó uma amiga, que nos foi apresentada.

Ela residia em Rolândia e nos convidou para irmos à casa dela, pois, sendo sábado, haveria baile na cidade e o clube era perto de sua casa.

Minha avó nos deixou ir, ficando combinado que, após o baile, dormiríamos na casa dela e, no dia seguinte, retornaríamos a Arapongas.

Nossa nova amiga chamava-se Neusa. No caminho, percebemos que algo não ia bem, pois seu modo de falar não era agradável, como em casa de minha avó, seus assuntos, seu modo de locomoção por exemplo... carona.

Nós viajamos de carona porque estávamos necessitando, não simplesmente por hábito, como ela.

Quando chegamos, ela nos mostrou sua casa, feita de madeira, à beira da estrada, sem iluminação alguma. Do outro lado da estrada, quase que coberta pelas árvores, havia uma grande casa, por sinal muito bonita. Neusa nos levou até lá para que conhecêssemos suas amigas, que ali residiam.

Entramos, na sala havia um bar com diversas poltronas, logo apareceram as amigas de Neusa, que vieram nos atender apenas de calcinha, sem nada para tapar os seios.

Logo outra passou pela sala completamente nua dizendo alto e sem timidez:

– Ai, esse velho me cansa, não quer mais sair da cama, já o chupei, já fiz tudo, agora dormiu.

Diante disso tudo, percebemos que nada mais era impossível. Uma das moças sentou-se ao meu lado e perguntou-me se eu havia já conhecido uma mulher intimamente.

Eu disse a ela que sim, ao que ela me convidou para que eu fosse até o quarto. Neusa levantou-se, repreendendo-a, dizendo-lhe que eu era mulher e que ela não havia nos levado lá para esse fim e sim para um entendimento, pois éramos novas na cidade.

Eu disse a ela que se era essa a intenção, poderia começar a se arrepender, pois éramos "paraíbas", e não estávamos ali à procura de dinheiro sujo e sim para irmos ao baile para o qual ela nos havia convidado, mas, depois de tudo, eu não queria ir mais ao baile, pois o ambiente deveria ser o mesmo.

Neusa ficou perplexa diante de tal comportamento e despediu-se das meninas, dizendo que iríamos embora;

suas amigas nada disseram, apenas um comentário pedindo desculpas à Neusa, pois pensaram que eu fosse um homem. Fomos para a casa de Neusa onde dormimos aquela noite. Apesar dela não querer demonstrar, ela estava com raiva da Aninha e muito mais de mim.

Dissemos que, no dia seguinte, iríamos embora para Arapongas.

Ela não dormiu lá. No dia seguinte, quando acordamos, já era quase noite, pois nosso corpo estava cansado, fora mais ou menos como que acordar de um desmaio longo.

Levantamos, mas Neusa não estava em casa, não havia o que comer, apenas um milharal me chamou a atenção. Aninha acendeu o fogareiro enquanto eu colhia alguns sabugos de milho para cozinharmos.

Comemos muito milho e, por volta de umas nove horas da noite, partimos de volta a Arapongas, pois Neusa tardava a chegar.

Não pegamos carona. Fomos para Arapongas a pé. Demoramos a chegar e a recepção não foi das melhores.

Minha avó me abraçou, minha irmã chorava e eu perguntei à minha avó o que havia acontecido. Ela hesitou e olhando para meus olhos percebi que sua voz era sufocada e que ela iria me trazer tristezas, mas notei que estava sendo difícil para ela, pois parecia ser contra a sua vontade.

Insisti muito e ela começou a falar.

Contou que Neusa fora à delegacia de Arapongas, e que havia me denunciado ao delegado, dizendo que eu e Aninha havíamos fugido do Juizado de Menores de São Paulo e que fomos para lá apenas para nos esconder.

O delegado estava à nossa procura na cidade. Lá fora a chuva começava a dar seus primeiros sinais de vida.

Mas de nada adiantava pensar no tempo, minha preocupação era somente fugir novamente; apesar da chuva o medo de ser preso era maior.

De repente, Neusa apareceu na porta e disse que, finalmente, havíamos aparecido. Disse isso e saiu na chuva, em direção à delegacia, para chamar o delegado. De nada adiantou retê-la.

Assim, eu e Aninha nos despedimos de minha avó e de minha irmã, rapidamente, e saímos estrada afora.

Com medo dos policiais, não fomos pela estrada principal. Entramos em um matagal e seguimos, durante muito tempo, pisando nas poças de barro que às vezes afundávamos; a chuva era impiedosa e até nos doía nos ombros ao cair. Nossas roupas já estavam grudadas. Aninha reclamava, mas não havia outro modo a não ser esperar que a chuva passasse e, no dia seguinte, já poderíamos ter nossas roupas secas.

Depois de caminhar muito, encontramos uma estrada isolada, onde existia uma placa, andamos para ver o que estava escrito e vimos uma seta indicando São Paulo.

Continuamos sempre em frente, na noite, até que nosso corpo não resistiu e deitamos à beira da estrada, para tentar dormir. Mas os bichos nos picavam e não conseguimos dormir. Descansamos um pouco.

Logo resolvemos continuar, pois de nada adiantaria ficar ali na estrada e sabíamos ter muito caminho pela frente.

Andando, o dia aos poucos clareava. Olhamos para nossas pernas, que estavam cheias de bolhas pequenas de pus, que ardiam e ao coçar iam estourando. Avistamos uma casa, descemos um barranco para chegar até lá.

Bati palmas, um garoto veio nos atender, assustado.

Pedi a ele que nos arrumasse algo para beber, pois sentíamos sede. Logo ele retornou, com uma senhora que parecia sua mãe, e que nos deu um copo de café com um grande pedaço de queijo para cada um.

A mãe do garoto nos perguntou de onde vínhamos e pra onde estávamos indo.

Quando contei a ela que íamos para São Paulo ela se assustou, pois achou impossível irmos a pé até São Paulo.

Mas de nada adiantava reclamar, teríamos que prosseguir nossa caminhada, pois nossa situação não admitia derrota; teríamos que vencer a qualquer custo.

Terminamos de comer, nos despedimos da senhora que tão bem nos recebeu, e seguimos morro acima para voltar à estrada.

Dei um último e rápido olhar para baixo quando vi que a mulher e o garoto acenavam para nós, acenei em despedida. Fora realmente uma cena pela qual eu não esperava; o casebre lá embaixo, duas pessoas simples e desconhecidas, mas que nos diziam adeus de tal forma que senti conhecê-las já há muito tempo.

Andamos horas seguidas, entre barro e ilusões perdidas, entre terra e vida em guerra. Às vezes as forças faltavam e motivo para se continuar também, mas tínhamos que retornar a São Paulo, para rever Ivete para tentar tudo novamente. Alguma coisa teria que dar certo, afinal não se pode fugir de todos assim simplesmente sem ter um lugar para se chegar.

Nossa roupa estava toda envolta pelo barro, o rosto suava, as mãos encardidas, e para limpar o suor do rosto eu só tinha duas mãos, sujas, que deixavam minha face escura.

Encontramos uma casa abandonada à beira da estrada, batemos palmas, gritamos antes para nos certificar de que realmente não havia ninguém, e que podíamos fazer uso da morada por alguns momentos.

No quintal havia uma caixa d'água cheia, a água estava meio suja, mas, em comparação à nossa roupa, até que adiantou muito.

Tiramos toda a roupa e lavamos na caixa d'água. Por final, nossos sapatos também. Logo encontramos uma torneira com o cano bem alto e que nos permitiu entrar embaixo e fazer dela um chuveiro.

A água parecia nos livrar de todo aquele pesadelo pelo qual vínhamos passando. Depois demos uma lavada em nossas roupas com água limpa e estendemos em uma das árvores do quintal.

A casa estava trancada, mas uma fresta da janela nos permitiu ver toda a poeira no seu interior. Pelo visto, há muito tempo estava abandonada.

Nas árvores do quintal havia muitos pêssegos e figos, sentamos na varanda e comemos até a hora em que nossas roupas estavam secas. Logo nos vestimos. Já era quase noite, portanto, tínhamos que aproveitar a luz do dia para seguir, pois o escuro não nos dava muitas chances de correr contra o pouco tempo que tínhamos.

Pegamos um pano que estava jogado no chão e nele enrolamos muitas frutas para comermos no caminho.

Passo a passo tínhamos uma companheira que se aproximava de nós, a noite. Não tínhamos ideia de que horas eram, 10, 11, meia-noite. Também não importava. De que adiantaria saber as horas? Seria muito pior ficar contando todo o tempo que passava por nós.

Aninha sentou-se à beira da estrada e eu continuei. Quando muito depois me voltei para lhe dizer que devíamos parar para dormir, percebi que eu havia decidido isso muito tarde demais. Então chamei Aninha para que nos deitássemos em um lugar que eu avistei ser menos perigoso, pois não era tão cercado pelo matagal, apesar de que lá também poderia existir algum bicho como cobra, aranha, escorpião etc.

Deitamos. Era difícil conseguir dormir no chão com aqueles insetos que picavam deixando bolinhas pelo corpo. Depois de tanto tentar adormecer, levantei e como por milagre pude ver uma casa atrás do matagal.

Contei a Aninha: quem sabe eles nos dariam um pano grande ou então um pedaço de papelão para que deitássemos em cima?

Fomos até lá na esperança de voltar com algo nas mãos. Batemos na porta, uma mulher surgiu. Foi então com delicadeza que lhe pedi algum pano ou papelão, explicando que estávamos dormindo ali atrás no mato mas que tinha muitos bichos. A mulher me olhou friamente e disse que lá não era lugar para se dormir batendo bruscamente a porta...

Olhei para Aninha, não havia o que dizer. Andei em direção ao lugar onde estávamos. Logo ela me seguiu e deitou-se ao meu lado sem nada dizer.

Não podíamos falar nada, não conhecíamos a mulher. Ela não tinha obrigação de entender nossa situação ou de nos ajudar. Mas podia ajudar se quisesse.

Restavam mais quatro pêssegos e um figo. Dois pêssegos para cada e o figo repartimos ao meio. Muito depois, o cansaço nos vencia e nem as picadas dos insetos nos impedia de dormir.

Depois de um sono cansativo, acordamos exaustos com o sol batendo nos olhos.

Levantei a barra da calça para ver a minha perna que coçava muito. As pernas, braços, mãos e rosto também estavam cheios de bolinhas amarelas, e conforme coçava com as unhas as bolinhas estouravam. Estavam cheias de pus.

Era horrível ver meu corpo naquele estado. O rosto de Aninha fora mais afetado que o meu, pois minha face quase não tinha muito e sarou rapidamente, mas os braços e pernas ficaram marcados. Era difícil estourar todas aquelas bolinhas de pus em uma só vez.

Bem, não adiantava muito reclamar, isso só nos traria maior insatisfação. O jeito era deixar que tudo seguisse um ritmo normal. Levantei-me e fui seguido por Aninha que reclamava de dores na face que ardia com o sol.

No caminho minha procura eram duas: uma, encontrar comida, e a outra, achar placas que indicassem São Paulo.

No mato à beira da estrada estavam diversos potinhos de iogurte, alguns abertos. Limpamos a tampa que tinha barro, e fomos experimentando. Muitos estavam estragados, mas conseguimos tomar muitos iogurtes de diversos sabores e carregamos alguns conosco para tomarmos na viagem.

Comentei com Aninha que alguém deveria ter vendido aquilo próximo ao local e achando alguns estragados jogou os restantes.

Chegamos a um ponto de ônibus onde um senhor já idoso, vestido com roupas de quem trabalha na roça, esperava sentado um ônibus. Quando passamos por ele, nos perguntou onde tínhamos comprado aquilo. Falamos a verdade, que estava jogado no mato, e Aninha afirmou que estavam bons para serem ingeridos.

O homem ficou olhando, andamos alguns metros, eu me voltei e estendi a ele um dos potinhos, ele receou em aceitar, mas logo sorriu. Aceitando estendeu-me sua mão direita, áspera pelo trabalho sob o sol, e agradeceu.

Corri até Aninha que já estava muito à frente, segui andando ao seu lado, sem falar nada, mas estava feliz, não sei bem qual o motivo, talvez eu tenha me sentido útil dando um iogurte ao velho senhor que cruzou meu caminho.

Pelo resto do dia não houve novidades, a estrada parecia sempre o mesmo pedaço de chão, a não ser no final da tarde quando finalmente chegamos próximos a uma cabine onde haviam diversos guardas com carros policiais revistando todos os carros que ali passavam.

Falei com Aninha, retornamos um pouco, para ver se conseguíamos pegar uma carona, a fim de poder passar pelos guardas sem que nos pedissem nossos documentos.

Aguardamos muito até que um Volks branco estacionou um pouco à nossa frente. Eu corri até ele, era um homem de meia-idade, que perguntou onde íamos, eu respondi a ele que pretendíamos chegar a São Paulo, por sorte ele também era da mesma cidade e residia no bairro da Mooca.

Entramos no carro e ao chegar perto dos guardas nos fizeram parar, houve apenas um pequeno problema com um dos faróis dianteiros, mas isso não impediu nossa viagem, pois o motorista disse que tinha queimado na estrada.

Seguimos viagem, apenas algumas perguntas como por exemplo a idade, por que estávamos indo a São Paulo de carona, de onde éramos, enfim um bate-papo para um conhecimento ligeiro.

O toca-fitas tocava músicas de um LP que eu gostava muito, *O espelho mágico*, todas as músicas ouvidas dentro da Vila Maria e que marcaram muito meu relacionamento com Ivete. Em certa hora quando ouvia os primeiros sons da música *C'est la vie*, a imagem de Ivete se embaçava perante meus olhos que estavam se umedecendo com um pranto saudoso e ao mesmo tempo feliz, pois eu sabia que logo poderia vê-la.

Sem perceber, de repente acordo assustado, havia adormecido, olhei para trás, Aninha também dormia. Não a acordei, a estrada parecia longa e contínua.

Logo o homem, que se chamava Carlos, parou em frente a uma lanchonete à beira da estrada, descemos e fomos tomar um lanche.

Comemos sanduíches e tomamos cerveja. Nossa fome era grande, mas não queríamos mais, mesmo assim ele insistiu, pediu que fizessem mais dois sanduíches para a gente comer se tivéssemos fome.

Eu e Aninha estávamos felizes, parecia que algo estava dando certo, pelo menos até São Paulo. Com certeza chegaríamos e poderíamos esquecer aquele episódio confuso e cansativo vivido no Estado do Paraná.

Rapidamente os morros se perdiam aos nossos olhos, e em algumas horas estávamos em São Paulo, o cheiro do Rio Tamanduateí, a poluição que se aproximava. É óbvio que devíamos ficar tristes por deixar todo aquele ar puro dos morros e plantações de café do Paraná, mas São Paulo é assim, seus rios, suas usinas hidrelétricas, suas construções, fábricas, arranha-céus, na verdade era tudo isso que queríamos, pois aqui estavam duas pessoas, Elizabeth e Ivete.

Chegando à Mooca, Carlos estacionou o carro em frente a um hotel e disse: "É aqui que eu moro, agora o resto fica por conta de vocês".

Era uma afirmativa positiva para nós, pois sabíamos muito bem o que faríamos em todo esse restante. Afinal esperamos muito para poder fazer algo. De repente podíamos fazer tudo, começar tudo novamente, só que desta vez não em uma estrada cercada de mato e sim em ruas tapadas dos dois lados por casas, lojas, bares onde o povo se reúne antes do almoço, trombadinhas pelas ruas, tudo, um cenário perfeito de uma peça realista onde as pessoas precisam lutar e pisar sobre as outras para conseguirem erguer o troféu da vitória.

XXIV

Aninha, logo de início, já pensou em irmos para o Jardim Ângela, onde ela tinha alguns amigos que moravam lá. Ela disse que já havia vivido com eles durante muito tempo, mas para se chegar ao Jardim Ângela tínhamos que ir a pé, não fosse um rapaz do exército que estava parado em um ponto. Logo que viu Aninha, disse:

– Quando vocês vinham lá embaixo percebi que você era maluca, quer dar uns 2?

Eu ainda não conhecia esse modo de falar de "fumar maconha", mas vi quando Aninha disse que sim. Ele disse que ia até a Praça das Bandeiras e que lá enrolaria um baseado para fumarmos.

Pegamos um ônibus junto com ele e descemos juntos pela porta de trás, estávamos na Praça das Bandeiras.

Na Rua do Ouvidor, ele enrolou o baseado e caminhamos, depois passou para a Aninha e ela deu um pra mim, eu nunca tinha visto maconha no meio da rua, no "mundão", apenas dentro da Febem. Peguei um cigarro e puxei forte, fiquei meio tonto, mas gostei da sensação que era muito diferente do que fumar dentro da unidade. Ali na rua aquilo me dava a sensação de liberdade, eu já estava começando a fazer as coisas que aprendi dentro da fundação.

Logo o rapaz se despediu, deixou o cigarro conosco, disse que ia para o exército e nós descemos novamente para a Praça das Bandeiras para tomar um ônibus até o Jardim Ângela. Aninha não estava preocupada com o dinheiro, disse: "não esquente a cabeça, depois descemos pela porta de trás".

O ônibus estava quase no ponto final, alguém deu sinal para o ônibus parar, e Aninha me deu um empurrão, descemos correndo.

O bairro era feio e desconhecido por mim, as casas, na maioria barracos. Aninha disse que aquela hora dava para se roubar leite que os caras deixavam na padaria.

Logo à frente, dentro de uma perua-kombi, avistamos diversas bengalas e pareciam quentes, que seriam entregues aquela hora. Aninha ficou olhando, eu coloquei os braços pelo vidro da frente e puxei duas bengalas, estavam realmente quentes, andamos rápido e logo comemos os pães no meio da rua. Quem passava por nós geralmente ficava olhando, mas não íamos parar de comer, simplesmente porque os outros estavam olhando.

Seguimos a rua até uma ladeira, e os barracos eram cada vez piores, uma perfeita favela, era onde moravam os amigos de Aninha.

Fomos até o lago e lá tomamos um banho de roupa; ao mesmo tempo em que lavávamos nossas roupas, também tomávamos banho.

Chegaram dois moleques de uns dezesseis anos, e Aninha disse que conhecia um deles. O garoto se aproximou, lembrou-se de Aninha e fomos para a casa dele, era lá que Aninha residiu durante um tempo.

A casa era ligeiramente tapada por um barranco. Era de tijolos, mas em péssimas condições. Estavam lá os amigos dela, quatro homens, sendo que o mais velho tinha 26 anos e o mais novo tinha 8 anos de idade, uma garota, e a mãe deles, D. Rosa, já muito velha. Eles não davam atenção ao que ela dizia e nem a respeitavam mais.

Na casa deles eu vi folhas de maconha, que colocavam sobre a mesa, uma folha de jornal por cima, e o ferro esquentado no fogão era passado por cima, até que as folhas estivessem no ponto para serem enroladas em forma de cigarro.

Maconha não faltava ali, muito pelo contrário, tinha até demais, só que na casa deles eu não aceitei nenhuma das vezes que me ofereceram. Disse que não fumava. Aninha participava de tudo.

Até que à noite fizeram uma reunião no quarto e nos chamaram.

A reunião era para ser acertado o que seria roubado naquela noite. Até que decidiram roubar um armazém perto de lá, para trazermos mantimentos para casa, bebidas e o que desse para trazer.

A noite chegava, saíamos de casa, em direção ao lugar marcado, o rapaz maior, Valdo, ia na frente com uma lanterna, não era bem um armazém como se vê na cidade, era um barraco, e cautelosamente começamos a tirar as madeiras com uma chave de fenda sem fazer barulho.

Conseguindo abrir uma fresta em cima do barraco, Ênio entrou pelo telhado para abrir a porta. Entramos e cada um pegava o que desse. Colocamos mantimentos, bebidas em geral, doces em caixa, tudo dentro de grandes caixas de papelão e cada um saía com sua caixa em direção à nossa casa.

D. Rosa se assustou quando chegamos com tantas coisas, e cada vez mais chegavam mais caixas. A mesa ficou repleta e ainda caixas cheias no chão, pois não havia lugar para guardar tudo.

Abrimos bebidas, cada qual abria batida do sabor preferido, muitas bolachas, latas de conservas, frutas em lata, sardinha, molhos, arroz, pão Pullman com patê e uma infinidade de coisas, o barraco ficou praticamente vazio, pois só deixamos lá algumas caixas de cocada e doces dessa espécie, pois não iríamos comer tanto doce assim.

Aquela noite D. Rosa bebeu muito, mas não era a primeira vez. Depois fui me acostumando. Quase todos os dias ela bebia pinga pura e aí todos nós tínhamos que sair de casa, pois ela nos ameaçava com um pedaço de pau, apagava todas as luzes e ninguém podia acender, caso contrário ela procurava quem estava dentro de casa e se pegasse dava pauladas mesmo.

Uma vez, bêbada, ela pegou o garoto Enéas de oito anos dentro de casa, deu uma paulada na cabeça dele e outra nas costas.

O menino ficou com um galo na fronte da cabeça, e nas costas um vergão enorme, inchado e que depois se tornou completamente roxo. Realmente, com ela bêbada, nem seu filho mais velho brincava. Ninguém sabia do que ela era capaz.

XXV

Os dias iam passando calmos, lentos sem nenhuma expectativa, o amanhecer era sempre igual ao ontem, à noite um roubo nas proximidades, de dia a maconha que não fazia falta, tornando-se cheiro comum em casa. Comecei a fumar também juntamente com Aninha por dia mais ou menos quatro a cinco baseados, sem me dar conta do vício que aos poucos ia se apoderando de mim.

Em uma noite de sábado houve uma festa na favela ao lado, fomos todos para lá, à procura de algo diferente, mas era a mesma coisa, maconha, bebida, malandros contando seus feitos, seus desenganos e ao mesmo tempo a sua angústia que quase não aparentavam na face, pois um malandro angustiado com seu tipo de ganhar a vida era um covarde perante seus companheiros.

Dias depois, o primeiro batuque anunciando o carnaval. Iríamos para a Avenida a fim de encontrar meninas da V. Maria a passeio no carnaval da Av. Tiradentes.

Na avenida encontramos muitas menores que haviam fugido das unidades para contemplar o carnaval que cantava seu samba-canção nas ruas, trazendo sempre uma poesia nova, modesta, vivida em outrora.

Mas, a V. Maria não estava lá, isso significava que eu não veria Ivete nem mesmo de longe.

Na última noite de carnaval, Aninha, exausta, sentou-se na beira da calçada. Eu estava a ver o desfile da escola Vai-Vai.

Quando de repente ouvi Aninha discutindo, voltei-me para ver o que se passava. Um bêbado estava tentando tirar os sapatos de Aninha, não sei por qual motivo, e um rapaz que vendia bebidas ao lado chamou a cavalaria que foi até o local apreendendo o bêbado. Mas eis que um dos policiais se voltou perguntando pelos nossos documentos. Não tínhamos, e isso não precisava ser dito, ao invés de levarem somente o bêbado, nós também fomos detidos.

Os guardas, segurando-nos pelos braços, atravessaram a avenida pouco à frente da escola de samba que se aproximava.

No local onde fomos detidos, imediatamente nos mandaram para a unidade de recepção para que de lá nos encaminhassem a um Juizado de Menores.

E assim ocorreu na unidade de recepção. Não adiantava nem tentar dizer que éramos maiores, pois a maioria dos inspetores e outros funcionários nos conheciam perfeitamente. E meu apelido não deixava dúvidas, quando o funcionário disse que o Bigode estava lá, ouvi o comentário de algumas menores que ficaram satisfeitas com a boa-nova.

Entramos, diversas meninas vieram ao meu encontro me abraçando, muitas me chamavam de Tio Bigode, e eu forçava a mente para tentar me recordar de todas, pois com todo aquele carinho eu não poderia faltar com a memória e não saber o nome de uma que fosse.

Logo algumas funcionárias novas que ainda não me conheciam perguntavam às menores quem eu era, e nada melhor do que as menores para saber meu *curriculum* por inteiro. As funcionárias pediam às menores que me apresentassem a elas e eu ia ficando cada vez mais conhecido. O nome soava simples dentro da Febem, a palavra "Bigode" significava não somente um apelido, mas era algo carinhoso guardado para qualquer ocasião. Eu sabia que de longe as pessoas comentavam a meu respeito, de como eu poderia estar no meio das meninas, se eu não era um simples "machão" da Febem. As pessoas viam claramente que em mim acontecia algo diferente, daí a simpatia de tantas menores por mim, pois na Febem existem meninas que só mantêm carinhos com pessoas do mesmo sexo, mas isto lá dentro, porque saindo de lá são mulheres como qualquer outra, sendo que algumas conservam este hábito ou modo de vida tanto lá dentro como lá fora.

Mas na existência de "machões", as menores que chegam da rua talvez já conheçam e, portanto, logo arrumam um par para si também, mas deve-se ressaltar que algumas delas não gostam desse tipo de par que é formado, dando preferência ao homem.

Essas meninas, entretanto, aos poucos diziam estar gostando de um outro inspetor ou funcionário, mas muitas delas, mesmo não concordando, por fim acabavam gostando de mim e diziam isso, muitas vezes conversando a respeito afirmando não concordar, mas para elas eu não me encaixava na área dos machões e sim um homem qualquer que estivesse em meio às meninas.

Para mim eu era um rapaz em fase adolescente, e para alguns um caso que deveria ser tratado clinicamente. Mas para o Sr. Humberto não havia outra palavra; simplesmente um machão da V. Maria.

E logo fomos transferidos para a V. Maria, pois nossa ficha era fácil de ser encontrada, todos sabiam nosso nome completo.

Último dia de carnaval, a UT 4 (Vila Maria) não estava, pois algumas menores estavam em outras unidades da Febem (de meninos), passando o carnaval.

O Sr. Humberto não estava na casa, o inspetor que nos recebeu mandou que fôssemos para trás do pátio. Era certo que tínhamos que enfrentar nosso castigo.

Atrás do pátio, longe dos olhos de qualquer outro funcionário ou menor, tivemos que tirar toda a roupa e nus andamos de joelhos sobre milhos, feijões, pedras e areia durante aproximadamente umas três horas, com um inspetor vigiando.

Meu joelho sangrava ao se arranhar na areia, pois no início era fácil levantar bastante o joelho e colocá-lo levemente sobre o obstáculo, mas quando o corpo e os músculos da perna se cansam, não há outra alternativa senão praticamente arrastar-se no solo, fazendo com que as pequenas pedras e os feijões marquem profundamente a pele depois da areia, as partes já afetadas vão cedendo e aos poucos sangrando.

Aninha chorava, pois seu joelho direito já estava cortado, mas este não era um motivo forte para que saíssemos daquele castigo. Para o funcionário era até melhor assim. Doía mais e estaria mostrando a ela que não deveria mais tentar fugir.

Às vezes, exaustos, parávamos, e já éramos ameaçados de apanhar de joelhos.

Numa certa hora senti que não aguentaria mais e parei, devagar tirei o joelho do solo, para retirar uma pedrinha que grudou em minha carne e já estava vermelha pelo sangue que aos poucos escorria de um ou outro corte.

Aroldo se atirou sobre mim, dando uns tapas e pontapés, que jogaram meu corpo no cimento. Eu sabia que enquanto continuasse deitado iria apanhar, mas não tinha forças para levantar, os gritos dele ecoavam na minha cabeça.

Um de seus pontapés acertou-me de cheio ao lado esquerdo da face, minha boca começou a sangrar e ele vendo que eu não iria conseguir, parou por um momento e na minha frente gritou para que eu me ajoelhasse e continuasse meu castigo. Enquanto me batia, sempre as mesmas palavras: "Machão sem saco, saiba que eu sou o macho aqui, pois tenho duas bolas..."

Estas palavras me ardiam ao fundo da razão, como seria o mundo se todos os homens trouxessem sua virtude, seu caráter no formato de duas bolas?

Soa o sinal para o banho. Alguns minutos após, ele nos manda parar.

Colocamos as roupas e fomos para a enfermaria fazer os curativos, nos lugares que estavam machucados. Logo após o banho, ficamos à espera do Sr. Humberto para saber o que teríamos que fazer como castigo pela nossa fuga.

Antes do jantar, ouvi os gritos de alguns que anunciavam retorno das meninas que voltavam de São Vicente (unidade masculina da Febem). Mesmo com o corpo dolorido, minha face não hesitou em se abrir num pequeno e saudoso sorriso, Ivete por certo estava entre elas.

Não tive coragem para ir até a portaria. Fiquei parado, ela também ficou sabendo que eu estava de volta, mas ao invés de me procurar foi até o refeitório da UE (refeitório reservado para menores da Educacional).

Algumas meninas vieram me chamar dizendo que ela estava lá sozinha. Pouco depois a saudade apertava e eu não resisti, entrei no refeitório. Ela estava sozinha no fundo do mesmo, devagar me aproximei, sentei-me a seu lado, e ela não se atreveu a erguer os olhos.

Olhando para ela, antes de dizer qualquer coisa, fiquei imaginando meus dias passados, como eu me recordava dela, a saudade que sentia, a lágrima que corria pelo rosto lentamente num silêncio quase fúnebre, mas cheio de vida.

Disse simplesmente "oi". Minha voz soou fraca e quando ela ergueu os olhos, não tinha resposta. Mas for fim sua resposta veio num grande abraço apertado por ambos, sem vontade nenhuma de um movimento sequer. Uma palavra, palavras... elas não eram necessárias, aquele abraço transmitia milhões de poemas reencontrados, poemas talvez sem rimas, mas terminado sempre numa frase marcante, não marcante qual aquele momento que nos envolvia de forma absoluta sem saídas, sem preconceitos, sem nada e ao mesmo tempo com todos os caminhos e luzes voltados para um só lugar, mesmo que pequeno, mas um lugar onde se pode amar, mesmo que este só pudesse viver entre nossos corações, ele era cultivado por nós, e na nossa existência ninguém mais era necessário existir.

Logo o jantar, depois um passeio no pátio de mãos dadas como crianças na adolescência, na descoberta de suas existências. Porém esse passeio foi interrompido. Quando mais tarde o Sr. Humberto retorna à unidade, eu e Aninha fomos chamados.

Entramos na sala dele, não disse muita coisa, apenas em voz autoritária ordenou: "Um mês limpando o refeitório inteiro no almoço e jantar. À noite, paredão durante o mês todo. Quando não tiver nada para fazer, limpem o pátio. Não quero pegar vocês conversando".

Aquele mês certamente fora infernal, o dia todo com a preocupação em saber se Sr. Humberto estava em casa ou se algum funcionário estava por perto. Aos poucos os dias iam passando e nós contando o tempo para que tudo aquilo terminasse de vez e pudéssemos viver como todos que ali estavam, apesar que mesmo de modo normal era difícil suportar aquele local. Mais difícil ainda quando alguém nos vigiava, e quando o dia era lento, sabendo-se que à noite iríamos para o paredão novamente deixando que os funcionários noturnos descarregassem seus complexos machistas em tapas e socos.

Findou-se o castigo, e começamos a mísera rotina da casa.

Meses após, a fama do Sr. Humberto crescia: as reclamações eram frequentes, os espancamentos diários. Se dormia na unidade um dia sequer sem que alguém fosse espancado por um ou outro motivo. Ele estava tentando fazer com que seu nome governasse e se expandisse por todas as unidades da Febem, mas infelizmente nós da UT 4 estávamos pagando por seu alto posto.

Mas se nós não estivéssemos lá, obrigados a atender suas ordens, sempre sem uma minúscula partícula de solidariedade humana, haveriam outros menores que teriam que suportá-lo sempre com um sorriso na face molhada por lágrimas.

Certo dia felicitou-nos a notícia de que o Sr. Humberto sairia da casa, ficando em seu lugar D. Marlene, que dentre as assistentes sociais era praticamente seu braço direito em suas resoluções. D. Marlene, tomando em mãos seu cargo de diretora, colocou em seu lugar um professor de educação física chamado Waldir.

D. Marlene era o tipo de mulher frágil, mas poderosa, pois a casa não era governada por ela sozinha, pois ela sabia que não poderia enfrentar as menores como o ex-diretor. Então ela dependia da ajuda dos funcionários, e estes por sua vez, querendo subir em seu conceito com a nova dirigente, se transformam em monstros selvagens, uns querendo ter mais força contra nós que os outros.

E os espancamentos se repetiam. Diversos homens tentando se empoleirar em um só galho, ficava difícil nosso relacionamento com a diretora, pois sabíamos que as surras executadas tinham por trás sua palavra decisiva.

Na unidade corria a notícia de que diversas menores seriam enviadas à UE 16 – Unidade Educacional Tide Setúbal, na Av. dos Imigrantes. E infelizmente, antes do Sr. Humberto sair, deixou para mim uma lembrança: na lista destas menores que iriam para a outra unidade, ele enviou Ivete, que dias após se despediu de mim.

Com a partida de Ivete tudo se modificou. Nos primeiros dias eu ficava horas sozinho sem falar muito, fazendo poesias a ela e recordando todos os acontecimentos que vivemos sempre juntos. Aquele amor que parecia indestrutível estava sendo vivido apenas nas lembranças que aos poucos eram esquecidas tentando serem substituídas por outros sentimentos reais, pois fantasias já tínhamos muitas. Pelo menos na parte do amor era necessário um alguém próximo e não distante, tal qual nossos sonhos.

Mesmo enquanto Ivete estava na unidade eu já sentia uma pequena atração por Isaura, não amor, apenas um desejo de tê-la em meus braços por alguns momentos, e isto acontecia. Mas depois eu sabia que poderia voltar para Ivete, que, mesmo zangada, às vezes me aceitava.

Como Ivete não estava mais lá e o que restava dela era apenas uma grande saudade, aos poucos eu e Isaura fomos nos aproximando mais e mais, até que ela se tornou minha mulher e dona também de meus sentimentos, apesar que se acontecesse de Ivete voltar, ela sabia que teria me perdido para sempre. Mas com o decorrer do tempo, meses, Ivete, não afetaria mais. Se ela voltasse, talvez eu ficasse em dúvida ou com obrigação de voltar para ela. E se eu parasse para pensar, minhas ideias já estavam formadas. Logicamente, não ficaria com Ivete e sim com Isaura, que estava ao meu lado durante maior parte do tempo e, mesmo se Ivete não quisesse, teria que aceitar a ideia de que o amor que eu sentia por ela fora substituído.

Nesta altura dos acontecimentos eu estava na Educacional juntamente com Isaura, mas evidentemente não no mesmo quarto, pois os funcionários sabiam o que se passava entre nós e jamais admitiriam que ficássemos no mesmo quarto, pois foi difícil fazer com que eles me colocassem junto a ela na mesma ala.

Uma noite, eu e Isaura estávamos no meu quarto, quando entraram algumas menores me chamando para que eu fosse com elas à Ala 1, pois disseram que uma menor, Rosângela, por sinal bonita, estava deixando todos os machões se aproveitarem dela.

Eu hesitei, Isaura me olhava com um não no brilho dos olhos, e por este motivo eu não fui com as menores para gozar da oportunidade com Rosângela, e por outro lado para que eu iria fazer algo com uma pessoa a qual eu não sentia absolutamente nada. Se tinha Isaura perto de mim, não era necessário. Quando disse que não iria, mesmo depois não me arrependi.

No dia seguinte, não sabia direito o que havia acontecido, chamaram todos para uma reunião que iria acontecer no pátio, por consequência de um estupro na Ala 1.

D. Marlene, à frente de todos, contou o episódio. Rosângela não estava presente, disseram que ela estava na enfermaria sob os cuidados do médico e da enfermeira, e que não estava bem.

Perguntamos o que havia acontecido, a resposta foi imediata, diversas menores, (todas machões) de shorts e camiseta de educação física em pé à nossa frente com as mãos amarradas atrás.

D. Marlene contou que naquela noite as menores que ali estavam haviam abusado de Rosângela, introduzindo até frascos de desodorante em seu ânus e machucando suas costas riscando com canetas, tão forte que lhe cortaram diversos lugares do corpo com as pontas das canetas.

A estas menores foi dado o castigo no pátio de trás onde apanharam. Nenhum de nós pôde passar para aquele pátio, mas pelo estado que voltaram pareciam ter apanhado muito. Isto se via claramente pelas lágrimas nas faces e marcas no corpo. Umas das menores levou tantos murros que perdeu dois dentes superiores.

Durante quinze dias foram trancadas em um quartinho onde se guardava bandejas, não podendo sair nem para ir ao banheiro.

Quando passávamos perto do quartinho, ouvíamos os gritos sufocados das mesmas que reclamavam não haver ar para respirar, diziam que o quartinho estava todo sujo, mas não havia opção; se não podiam usar o banheiro, suas necessidades tinham que ser feitas ali mesmo.

Está certo que o ato cometido fora simplesmente desumano. Claro que para machucarem a outra menor tiveram que usar a força. Mas não se deve esquecer que Rosângela estava chamando-as para o seu quarto, e o preço que estavam pagando era alto. Existem outros métodos, outros recursos, sempre há uma possibilidade de recuperação, mas desse jeito não havia alternativa, o erro dos funcionários certamente não estava consertando o erro que as menores cometeram.

E, passados quinze dias, o quartinho se abriu, e finalmente pudemos ver as menores.

Quando abriram a porta, as paredes estavam repletas de bolhas formadas pelo suor. Uma das paredes se partiu consequentemente. O chão cheio de fezes, urina, e seus pés descalços, corpo todo suado com um odor terrível. Saíram uma a uma do local indo em direção ao banheiro para tomar banho e trocar de roupa. Uma delas ao sair desmaiou, sendo levada à enfermaria sem sentidos.

Depois, durante alguns dias, permaneceram em serviços gerais de limpeza na unidade, sendo que a menor Rosângela foi enviada à UE 16 na Av. dos Imigrantes.

XXVI

D. Marlene, com o passar dos dias, demonstrava claramente não estar capacitada para desempenhar seu papel na diretoria, pois sendo mulher ela se sentia frágil a ponto de enfrentar os menores sozinha, precisando sempre da ajuda dos inspetores em qualquer ordem que fosse dar. Isto não deveria acontecer, pois a mulher deve tentar pleitear seu lugar, não se mostrando inferiorizada; ela como qualquer homem tinha suficiente força pra manter a unidade sem transtornos.

Porém, logo as notícias transbordavam seus pequenos rumores de que D. Marlene sairia da unidade.

Em uma tarde, minha assistente social, D. Noeli, me chamou em sua sala. Não me preocupei, pois eu não tinha feito nada errado, não havendo motivo para punição.

Mas a notícia que me foi dada, apesar de não ser má, por outro lado me chocou bastante; através dela fiquei sabendo que eu sairia da unidade dentro de uma semana sendo encaminhado ao pensionato na Rua Albuquerque Lins.

Quando contei a Isaura, ela como eu não conseguiu demonstrar alegria, mesmo sabendo que isso me faria bem. Afinal eu estaria livre da unidade, e no pensionato, embora fosse da Febem, eu poderia trabalhar e começar meu novo regresso à vida social.

Fora uma semana de despedidas, todos os cantos da casa me faziam recordar alguém: Ireusa, Ivete, Isaura e muitas outras. Por outro lado, o pátio onde tanto fui espezinhado, a cafuá onde meu corpo padecia entre quatro paredes e sob o cimento bruto e frio, o rosto dos inspetores figurado com firmeza no alto dos quatro muros que me cercavam...

E a hora era chegada, malas prontas, cartas contendo um pouco de cada uma que ainda teria muito a enfrentar naquele solo maldito.

Quando me chamaram, minhas coisas já estavam todas na portaria, todas as menores foram se despedir de mim, abraços e abraços, bilhetes que me colocavam nos bolsos para eu ler somente quando saísse dali, mas diante de tanta gente uma pessoa não encontrei: Isaura.

Disse ter esquecido alguma coisa em meu quarto e subi à procura dela. Ela estava no meu quarto, sentada no chão, sozinha, um quarto vazio, seis letras grandes e pretas pintadas na parede, B I G O D E, um gosto amargo na boca.

Abracei Isaura, ela chorava, e minhas lágrimas não puderam também conter-se. Fora difícil mas necessário, pedi a ela que me acompanhasse até a portaria e lá um leve beijo, apenas um encostar dos lábios assistido por D. Marlene. A porta fechou-se, Isaura ficou... eu partia.

Chegando ao pensionato, notei que era apenas uma casa com quatro quartos ao andar superior, total de doze menores internas, e, como na V. Maria, inspetoras, assistentes sociais e guardas.

Lá me encontrei com algumas menores que haviam sido da V. Maria, algumas delas já trabalhando, e eu também dias após começava meu trabalho em uma firma da Barra Funda como auxiliar de Departamento Pessoal.

Lá trabalhei somente durante o prazo temporário (três meses) sendo depois demitido.

No pensionato, acordávamos às 6h da manhã indo dormir às 10h. Nos finais de semana, se a assistente social permitisse, podíamos sair para retornar no mesmo dia às 8h da noite.

Comecei a procurar outro emprego, mas logo vim a saber que todos nós do pensionato seríamos transferidos para outra unidade da Febem, pois o pensionato fecharia brevemente.

Do que pude descobrir, parece-me que não havia verbas e o dono da casa estaria pedindo-a de volta.

Mais uma vez, fomos depositados em outro lugar, como cargas que são enviadas com notas fiscais a pagar.

A maior parte das menores foram enviadas a pensões, algumas à Unidade Educacional Tide Setúbal na Av. dos Imigrantes. Eu fui encaixado na lista dos menores que iriam para o CAD, na Casa Verde.

No CAD os problemas começaram a surgir, pois lá não era permitido maus hábitos, como diziam as inspetoras. Tentaram me modificar, pois isso segundo elas influenciava no comportamento das outras internas que ali estavam.

Era proibido fumar. Se uma menor fosse vista com um cigarro nas mãos, consequentemente era punida por induzir as outras ao vício. Eu com meu jeito de moleque e, pior ainda, autoritário, sem ser subordinado a ninguém trouxe sérios problemas aos funcionários(as), pois eu os desacatava em frente a todos os menores. E se por acaso um deles me ameaçasse, eu prontamente corresponderia sua ameaça à altura. Portanto, eles falavam comigo de modo gentil e mesmo que me ordenassem algo sem que eu demonstrasse interesse em cumprir, ao invés de levar o caso muito adiante, preferiam esquecer o assunto pedindo a outra menor que fizesse o serviço.

Aos que me tratavam bem eu era um perfeito exemplo, fazendo poesias, exaltando seus valores, suas qualidades, que nem sempre existiam, portanto eu não era ruim, apenas muito revoltado com todas aquelas idas e voltas de unidade para unidade.

Logo arrumei um emprego em uma imobiliária na Av. Ipiranga, Ciom Imóveis. Uma menor do CAD também trabalhava lá como recepcionista. Entretanto, comecei com corretagem de imóveis.

Os funcionários da imobiliária eram poucos, cada qual com seu apelido, pois o dono da mesma, Osvaldo, não admitia ninguém sem apelido e cada vez mais tornava nosso ambiente de trabalho saudável, divertido, porém muito responsável.

Osvaldo apelidou o garoto que trabalhava como *office-boy* por Panqueca; sua secretária, Magrela, a recepcionista era conhecida por Batata, e eu, apesar de ter meu apelido, ele pôs outro; antes pensou eu Ringo, modificando-o definitivamente depois para Motoca. Por muito tempo após quando eu ligava para bater um papo com Osvaldo ou ia visitá-los pessoalmente, o nome Motoca soava lá dentro. Bigode porém somente à noite quando eu retornava à unidade.

Passado um mês de trabalho, por terem descoberto que Madalena havia levado outra menor a comprar e ingerir comprimidos (*Optalidon*), a mesma seria punida, mas antes que isso acontecesse, Madalena fugiu da unidade, não retornando mais.

Eu continuei a trabalhar com o Osvaldo. Às vezes até nos finais de semana eu me dispunha a ajudá-los na imobiliária, sem horário fixo para entrar ou sair.

Em um final de semana, o professor de educação física, José Carlos, organizou um passeio até a UE 16 (Imigrantes). Ele não queria colocar meu nome, mas eu insisti tanto dizendo que me comportaria e ele acabou cedendo. Finalmente, minha chance, eu iria após tanto tempo rever Ivete.

Quando lá chegamos, as menores estavam de shorts e logo que vi Ivete, sucedeu-se uma transmissão de pensamentos, fui com ela para conhecer seu quarto, que ficava em uma das alas. Pelo fato da unidade ser muito grande, todos dormiam em alas diferentes, cada ala continha aproximadamente 10 menores, e as outras alas eram divididas em cozinha, mais adiante almoxarifado. Enfim, a grandeza da unidade impedia que as funcionárias vissem eu e Ivete nos deslocarmos para a Ala 5.

No quarto dela, me senti bem, em cima do armário vi cartas minhas, na janela algumas fotos minhas coladas, e cartazes decorando o quarto com dizeres como: “Big, eu te amo”, “Bigode volte para mim...”

Diante daquilo senti que, apesar de longe, Ivete ainda não havia me esquecido e sabia também que, se eu tentasse algo novamente, conseguiria mesmo ela estando a par do meu caso com Isaura.

Portanto iniciei, puxando-a para os meus braços. Beijei-a muito e aos poucos já estávamos deitados em sua cama. Mas, como todos dizem, quando a esmola é grande demais o santo desconfia. Inesperadamente a porta se abre, uma inspetora da unidade 16 sabia que estávamos lá, mas nada disse, apenas fechou a porta e se retirou.

Tanto eu como Ivete sabíamos que a inspetora levaria isso ao conhecimento da diretoria, mas por ora não mais adiantava sair de lá, então passamos um dia agradável juntos, até que à tarde nos despedimos e eu retornei ao CAD juntamente com o professor e as menores.

Somente na unidade vim a saber do acontecimento: não haviam dito nada, mas o professor José Carlos informou a diretora do CAD que, por consequência do meu ato na UE 16, as menores estavam proibidas durante um mês de qualquer visita às outras unidades na Av. dos Imigrantes.

Muito me chocou tal decisão, pois o motivo era amor, será que deve ser desprezado somente por um amor que a sociedade não aceita?

Mas a própria sociedade também cultiva este modo de amar. Entretanto, a sociedade, ou seja, algumas das pessoas que fazem parte dela cultivam romances sem um pingo de dignidade, seja a orgia, que dura apenas alguns momentos, e não o amor que os homossexuais mantêm, pois se digo amor, me refiro a sentimentos sérios e não banalidades às quais as pessoas se entregam. Além da orgia, é claro que existem muitas outras coisas, muitos outros modos de se amar, infelizmente isto temos que aceitar, mas um amor que além de limpo é também puro não é aceito simplesmente porque as orgias escondidas mas sabidas não impedem de uma pessoa ser influente à sociedade, mas quem dará direito para que os homossexuais, prostitutas, enfim, façam parte de uma sociedade, sendo que ela é responsável por esta microssociedade, micro por se tratarem das sementes que a sociedade plantou e não soube cultivar.

Tudo isso me traz uma grande angústia e sobretudo a certeza de que a sociedade, se é que se pode distingui-la por tal nome, ainda não se adaptou à solidariedade, talvez por estarem habituados a viver de modo crítico que o mundo se encontra no momento atual. Daí a razão por que estão a viver em guerra com tantas coisas, que até o amor deixou de ser-lhes importantíssimo, insubstituível, pois na guerra eles não têm tempo para amar e sim para pisar nas pessoas, conseguir seus ideais, seus cargos altíssimos. Assim conseguindo se tornam bravos. Deveriam perceber que os bravos antes recebiam congratulações, infelizmente por esse tipo de bravura machista e ao mesmo tempo covarde, jamais terão direito a troféus ou medalhas.

O caso é que a sociedade incrimina tanto os homens como mulheres que se prostituem e, como é cega, ainda não conseguiu perceber que a culpa desta prostituição não cabe a mais ninguém a não ser a ela própria.

Se eu tivesse meio de comunicar-me com todas essas pessoas, teria muito a dizer. Pena que a sociedade jamais admitiria culpa ou incompreensão, mas infelizmente, minha cara sociedade, aí estão os frutos que por terrível fraqueza um dia foram semeados.

E gostaria de deixar aqui uma lembrança a esta sociedade "negra", que talvez um dia seja suficientemente forte para poder encontrar seu caminho e sua personalidade tão perdida por entre as matérias que o homem constrói através de suas máquinas.

POBRES HOMENS

Os homens choram sentindo no peito total solidão
mas esquecem que estão junto a tantos
perdidos, na dor tão confusa desta multidão.
Sacudidos pela impureza e vingança
trazem em si a cólera de criança
crescem tanto, e morrem pequenos
deixando em quem fica os rastros de seus venenos.
E nesta doença mundial
não sei se correm dos *homens*
ou então se fogem da fome
que dói em todos igual.
Queria que o mundo cedesse
e encontrasse no escuro
a sua cor natural.
Queria ver total reencontro
de branco e negro Deus Santo
sob o firme cimento e cal.
E no regresso ao início
seria o amor grande vício,
seria a perca, busca certa
e a covardia de outrora: conhecido alerta.

XXVII

Quase às vésperas do Natal, eu e algumas meninas fomos até o bar da esquina do CAD, no qual eu tinha conta e pagava apenas no dia do meu pagamento da imobiliária; comprei garrafas de cerveja, champagne e vinho e levei para a garagem que havia no fundo do CAD.

Na garagem bebemos e comemoramos, era sábado e as meninas de lá tinham medo de beberem e serem descobertas depois. Mas isto não me importava. Afinal eu sabia que se acaso fosse descoberto, eu teria que explicar tudo, pois certamente iriam dizer que eu as induzi ao álcool.

Não havia lugar para se jogar as garrafas vazias. Portanto, joguei-as por cima do muro que dava em um quintal de uma casa.

Infelizmente a dona da casa parece ter saído ao quintal para dar comida ao cachorro quando eu jogava uma das garrafas que lhe acertou nas pernas. Ela imediatamente telefonou para a unidade avisando uma das funcionárias que estávamos jogando garrafas de bebidas alcoólicas em seu quintal.

Nada mais era necessário dizer; a funcionária apesar de nada ter visto levou o caso à assistente social para se descobrir quem estava envolvido. Perguntaram às menores, que por medo não beberam também; mas quando tocaram em meu nome, a assistente social logo teve a solução para o problema:

– Preparem o encaminhamento de Herzer para a V. Maria, ainda hoje.

Assim à tarde, minhas coisas estavam prontas novamente para outra remoção do CAD.

Pelas menores é óbvio que fui bem-recebido, mas percebia-se no ar que os funcionários não gostaram nem um pouco deste retorno.

Isaura vibrou com a minha chegada, e na mesma noite tentamos matar toda aquela saudade que estava trancada chorando nos cantos que assistiram nosso amor e não só nos cantos, mas também nas profundezas de nossos corações. Ela ardia como o álcool na ferida que jamais cicatrizou.

D. Volúnia dirigia a casa na ocasião. Como não nos conhecíamos muito bem, ela não tinha ideia e muito menos eu de que um dia teríamos tanto em comum.

Esse "tanto" vocês entenderão brevemente. D. Volúnia era simplesmente uma pessoa maravilhosa, a guerreira que foi pra guerra sem pensar que poderia morrer e trouxe consigo honras e labéus, essas honras posso justificar com algo que talvez seja considerado banal para muitos, mas ela conseguiu ao menos tocar as mãos: recebeu a confiança, o apoio, o amor por que não assim dizer, e sobretudo o agradecimento dos menores, por tudo o que ela fez e que todos achavam supérfluo, mas no entanto era apenas isto que eles necessitavam.

Bem, palavras jamais teriam condições para ao menos tentar descrevê-la, mas os fatos que narro a seguir acho que têm tais condições para provar sua lealdade e personalidade marcante como diretora, amiga e sobretudo como a pessoa de nome simples, mas inesquecível.

Sua primeira, digamos, ajuda aos menores fora o fato de iniciar a construção de uma lavanderia que seria atrás da unidade com diversos tanques e varais, isto porque nenhum outro diretor em um dia sequer se interessou em saber como estavam as roupas das menores. Uma lavanderia existia, mas com um máquina apenas de lavar. Portanto, as roupas das menores eram misturadas e cobertores quando iam para a máquina de secar. Provavelmente uma falta de higiene incrível, pois os cobertores estavam sempre urinados, menores deficientes faziam suas fezes nos mesmos e não adiantava de nada as pessoas que tomavam conta da lavanderia tentarem a máxima higiene. Não as culpo, pois as condições eram precárias. Para outros diretores isso não teve a mínima importância. Aliás, muitas coisas que não são desnecessárias são basicamente essenciais, principalmente à saúde, foram esquecidos por eles.

XXVIII

Logo na unidade a compreensão sobrevoava ao redor de nossas cabeças. D. Volúnia conseguiu fazê-la estar presente mesmo naquele mundo dos homens vivos, mas porém crucificados.

O espancamento fora retirado completamente. As cafuas deixaram de ser utilizadas para os espancamentos que as menores sofriam e eram trancafiadas durante dias seguidos. Foi feita uma dedetização em toda a unidade, e uma coisa muito importante aconteceu: nós começamos a ter acesso à diretoria, caso tivéssemos algum problema ou queixa a fazer.

Enfim, havia diálogo. D. Volúnia não foi mais uma das células a constituir a cúpula desumana vulgar e corrupta da Febem.

Como eu já lhes disse anteriormente, a triagem alojava os menores que já tinham um certo tempo de permanência na Febem e que estavam à espera para que fosse deslocado para a Ala 1, mas eram misturados com outros que acabavam de chegar, qualquer que fosse a periculosidade do mesmo.

Isto D. Volúnia percebeu fazendo uma mudança que muito beneficiou a todos. Os menores novos eram deslocados diretamente para a Ala 1, até que seu caso fosse estudado por psicólogos e assistentes sociais. Logo passavam para a Ala 2 ou Educacional, e na triagem ficavam alojados menores com problemas físicos, mentais; ou seja, os que necessitavam de cuidados especiais.

As roupas novas até então ficavam trancadas no almoxarifado. Foram distribuídas aos menores que estavam na triagem ou Ala 1, os quais não podiam usar suas próprias roupas, evitando assim que eles tivessem que lavar suas roupas na hora do banho, torcê-las e as colocassem em seguida até que secassem no corpo; também começaram a ser atendidos frequentemente na psicologia ou psiquiatria.

A vida, apesar de miserável, parecia estar numa fase melhor, até o dia em que um fato provocou tristezas e aborrecimentos, e isto que lhes vou relatar partiu de uma decisão dada pela sede da Febem.

Havia na unidade um senhor que era querido e muito respeitado pelos menores, Sr. Aylton. Ele trabalhava na administração daquela unidade, mas a sede da Febem resolveu demiti-lo e colocar em seu lugar um rapaz, que pelo visto parecia muito amigo de uma pessoa odiada pelos menores pelos seus atos e às vezes até querido, pois cinismo e falsidade são duas qualidades que não lhe faltam, o Sr. José Luís Lo Turco.

A demissão do Sr. Aylton provocou agressividade por entre os menores, pois era difícil se gostar de alguém lá dentro e um dos poucos que nos apoiavam a Febem queria nos poupar de tê-lo perto.

Mas o fato não parou aí, pois assim que o Sr. Aylton deixou a unidade, ao chegar em sua casa, sofreu uma parada cardíaca vindo assim a falecer.

O pânico fora total, ele provavelmente não aguentara a separação que lhe foi imposta, depois de tantos anos dedicando seus trabalhos ao menor, depois de tanto sofrer pelo sofrimento que os mesmo sofriam, depois da amizade, do olhar paterno que era reconhecido em seus olhos. Realmente fora uma grande perda, tanto para nós quanto para ele, acredito que mais para ele, pois não era obrigado a nos tratar bem, a dialogar nas horas de folga, a ser um bom homem, ele nos foi muito enquanto o tivemos, mas a Presidência da Febem, numa simples demissão, lhe golpeou de encontro ao peito.

À tarde, por volta das 17h, viemos a saber do falecimento. O pranto desandou nas faces já tão tristonhas, um pranto saudoso, triste e revoltado.

À noite encontravam-se menores pelos cantos chorando, era dia em que poderíamos ouvir músicas e dançar.

Mas decidimos, claro que sem hesitação, naquela noite não haveria música, pois o desespero iria abafar o som dos instrumentos, o pranto, por mais amargo que fosse, não seria proibido, em memória do homem que acabávamos de perder.

Mas, maior fora nossa revolta quando soubemos que o rapaz, Luís, estaria na unidade no dia seguinte, para substituir nosso velho amado, compreendido.

Jamais seria menosprezado em qualquer conselho, mesmo que este conselho viesse contra nossa vontade ou opinião, ele era a experiência respeitada em todos os sentidos.

O tumulto se fez: menores se aglomeravam em prantos, gritando e culpando a sede da Febem. Mas somente palavras e lágrimas não nos foram suficientes; resolvi na mesma hora fazer um abaixo-assinado à sede dizendo sobre a nossa revolta e o que achávamos do golpe que nos foi dado com consequências de morte.

Reuni todos os menores em uma das salas de aula, quando entrei o silêncio se fez, todos estavam ansiosos a saber o que me levava àquela reunião.

Expliquei aos menores detalhadamente o porquê da reunião e que não deveríamos aceitar tudo aquilo de boca fechada, e que faria um abaixo-assinado contando com a assinatura de todos e que o mesmo seria enviado à sede da Febem; disse também que seria ridículo de nossa parte aceitar o homem que viria no dia seguinte, pois Sr. Aylton anda estava conosco e continuaria. Sua presença deveria ser recordada e sua ausência, pelo menos por alguns dias, respeitada pelos funcionários que queriam substituí-lo por outra pessoa imediatamente e eu tinha certeza de que só nós mesmos poderíamos fazer alguma coisa. Estava na hora de abrir os pulmões e gritar nossa saudade, nossa revolta e nossa opinião a respeito daqueles homens que nos governavam e nos obrigavam a baixar a cabeça, sempre calados como pessoas que não tinham vontade própria; simplesmente por sermos abandonados e súditos de uma marginalização que nos era imposta diariamente.

Os aplausos ecoaram, mesmo os que choravam conseguiram deixar que um leve sorriso desabrochasse nos lábios, uma tentativa de dizer que o tempo não pararia ali, naquele instante, naquele fato, naquele pranto mudo e quase sem consolo.

Mandamos o abaixo-assinado que dias após é publicado em um jornal, comentando a morte do Sr. Aylton e nossas palavras enviadas à sede; os nomes das menores não foram mencionados na reportagem, apenas o texto que fora assinado.

Sr. Luís chega à unidade para tomar posse do seu cargo, nós nos reunimos no refeitório da triagem para que ele nos fosse apresentado.

Olhando para aquele homem, nossa resposta fora somente uma, eu e outra menor subimos em cima da pia que havia no refeitório e explicamos em voz alta para todos por que não queríamos o Sr. Luís no lugar do Sr. Aylton.

D. Volúnia percebeu que não estávamos tentando fazer um tumulto e sim expor nossa contrariedade, que nada mais era do que um amor e respeito muito profundo por um ser humano que adorávamos.

D. Volúnia e o Sr. José Luís Lo Turco foram para a diretoria reunir-se a sós. Logo nos vem a notícia de que o Sr. Luís não assumiria o cargo, mas, junto com esta, outra notícia para impedir nossa vitória, D. Volúnia fora demitida da unidade. Mas era sempre assim na Febem. Precisava-se de pessoas que apoiassem as táticas de um juizado, não pessoas como D. Volúnia que, antes de trabalhar em um juizado onde se encontravam menores de toda espécie, ela trabalhava em uma casa onde existiam seres humanos que precisavam de apoio, seres que ela aprendeu a entender e respeitar sobre qualquer acusação que estivesse à sua frente.

A sede se cansou dela, é claro, atingiu o seu limite de aguentar uma pessoa que vivia a favor dos menores, a favor dos seus direitos.

Por mínima película a unidade não estourou, apesar que continuo achando até hoje que aquele seria o momento exato para, talvez, uma revolta tão grande que provocasse o desuso daquela unidade definitivamente.

XXIX

Para acalmar os menores, a sede da Febem usou seu punho de aço; ou seja, o Sr. Humberto novamente na unidade, com todas as suas características monstruosas e massacradoras.

Em uma noite estávamos em nossos quartos quando dos mesmo pudemos ouvir alguns gritos que logo cessaram tornando a noite silenciosa completamente.

Naquela noite não ficamos sabendo o que estava acontecendo, mas no dia seguinte notamos uma menor, Sandrinha. Andava pela casa gatinhando como um bebê novo e babando sem conseguir falar nada. Mesmo que insistíssemos em perguntas, ela não conseguia pronunciar as palavras corretamente.

Estava tudo explicado, aqueles gritos eram de Sandrinha e depois como fora confirmado logo que ela se recuperou da crise, seus gritos cessaram porque ela fora amordaçada com seu próprio pijama pelas inspetoras noturnas, Helena e Lurdinha.

Consegui com Sr. Humberto uma saída da unidade para ir até o Senai, mas infelizmente não foi possível para aquele dia. Portanto, minha saída foi adiada, isto porque tive uma discussão com Sr. Humberto, porque pedi que ele devolvesse minhas poesias as quais ele havia pego, dizendo publicar um livro em meu nome. Mas quando vi o esboço da capa, o sangue fervia em minhas veias, pois ele me disse que não seria possível lançar o livro com meu nome enquanto eu permanecesse na Febem. Portanto, seria publicado em nome da Febem com o título: "Os menores escrevem".

Discuti, exigi meus poemas de volta, e ele me negou dizendo que estava na sede sendo aperfeiçoado para a publicação. Isto me revoltava, mas de nada adiantava discutir muito. No dia seguinte, fingi estar calmo, e já ter esquecido o que havia se passado, conseguindo assim que minha saída não fosse cortada.

Na rua, eu sabia muito bem para onde ia, não para o Senai, mas sim encontrar-me com a Presidente do Movimento em Defesa do Menor, Lia Junqueira.

Lia tem seus dias dedicados ao menor em geral, desde o nascimento até os porquês das causas que os levavam à marginalização, uma mulher que amanhece respirando menor e adormece sonhando com possíveis soluções para este menor que vem auxiliando, para aquele menor pelo qual ela briga com entidades que o massacram, uma mulher de idade média, sem preconceitos, mesmo quando cansada sempre disposta, desde que o assunto fosse em defesa do menor, não importando sua raça, cor, sexo, periculosidade.

Chegando ao Movimento, contei à Lia o que havia acontecido com Sandrinha.

No dia seguinte, o eficiente jornalista Carlos Alberto Luppi denuncia o fato ocorrido na unidade, no Jornal *Folha de S. Paulo*. Este outro respeitado jornalista com suas forças voltadas à violência pelo qual o menor passa dia a dia, assassinatos, menores que simplesmente após serem pegos em flagrante em um bairro qualquer, horas depois aparecem misteriosamente mortos, sem qualquer explicação. Se a polícia mata um menor, logo sua justificativa é válida, pois usam um "cabrito" (revólver que os policiais jogam nas mãos de menores mortos para depois poderem afirmar ter matado em legítima defesa).

Naquele dia fui apresentado ao Deputado Estadual Eduardo Matarazzo Suplicy, que se encontrava no Movimento.

Conversamos por longo tempo a respeito de vários assuntos, primeiramente a respeito de algumas desavenças ocorridas dentro da Febem, e o fato do Sr. Humberto ter pego, sem minha autorização, meus trabalhos poéticos, tentando publicá-los em nome da Febem.

Depois de muito conversar, fez a mim algumas perguntas, como por exemplo minha idade, o motivo pelo qual fui à Febem, o que faria ao sair de lá e, conforme eu respondia, ele me olhava profundamente nos olhos, tinha um jeito sereno de falar que me trazia segurança; por fim, num quase que sorriso, deu-me uma folha de papel, pediu que eu redigisse uma carta à Febem, ou seja, à sua Presidência, o Dr. Machado, pedindo a devolução de meus trabalhos poéticos, aproveitando na mesma para pedir permissão para trabalhar em seu gabinete na Assembleia Legislativa do Estado de São Paulo.

Despedi-me dele, com um brilho transparente nos olhos. Ele apertava minha mão de modo estranho, pois era quase que um desconhecido, mas diante de minutos ele se transforma como magia em um velho e incomparável amigo. Voltei à Febem, sem comentar nada do que havia se passado, esperando que houvessem notícias sobre minha saída da unidade, pois se eu dissesse algo, poderiam fazer algo como transferir-me para outro local, e depois dar qualquer explicação sobre meu desaparecimento, assim eu seria em breve esquecido, e não poderia lutar a favor dos que estavam comigo, mas já fracos e sem razão para lutar.

Logo recebo das mãos do Sr. Humberto minhas poesias de volta, embora ele tenha entregue com muito mal gosto.

Recebo uma carta do Dep. Eduardo Suplicy, pedindo que eu entregasse minhas poesias aos seus cuidados até que saísse em liberdade, conforme havíamos combinado.

Era isto que eu queria fazer, mas sou impedido por Sr. Humberto, o qual me obriga a remeter uma carta em resposta, dizendo que não queria me dispor das poesias, pois as poesias eram muito importantes para mim, e que eu aguardava outra carta, com uma explicação justa para ver se havia motivo para eu agir conforme ele me pedia.

Fui afastado da unidade por um dia inteiro, sem saber o que acontecia. No final da tarde, ao retornar, as menores me contaram que o Dep. Eduardo Suplicy esteve lá. Fiquei com raiva e logo venho a saber que o Dep. Suplicy denuncia irregularidades ocorridas na unidade 3 da Febem. Infelizmente eu não sabia que o Sr. Humberto havia me deslocado para São Vicente para evitar que eu me encontrasse com o deputado no dia de sua visita.

Nos pátios não existia outro assunto. Diariamente eu comentava a respeito da pessoa maravilhosa que era o Sr. Eduardo. Dia a dia minha afeição por ele crescia, em seu nome, eu era sempre capaz de aderir mais uma qualidade. Logo, em outra oportunidade o Sr. Eduardo vai à unidade para conversar comigo e com minha assistente social, acompanhado pelo Dep. Est. João Batista Breda.

Nos reunimos em uma sala e lá conversamos a respeito de minha saída da unidade para trabalhar com ele na Assembleia. Prontamente aceitei, frente à assistente social, que disse começar imediatamente a encaminhar meus papéis ao Juiz para que eu fosse colocado em liberdade. Trabalharia na Assembleia, e iria morar em uma pensão que o Sr. Eduardo me arrumaria em seguida.

Antes do Sr. Eduardo se despedir, pedi a ele que esperasse um pouco. Fui correndo ao meu quarto, e lhe entreguei um envelope contendo minhas poesias, para que ele guardasse até que eu fosse posto em liberdade. Ele sorriu, eu também sorri para ele, e naquele aperto de mão, não sei dizer ao certo o motivo, mas senti meus olhos se umedecerem e, quando ele foi embora, não pude evitar uma lágrima teimosa de felicidade que molhava minha face sem receio.

Em um final de semana fui convidado pelo Dep. Suplicy a almoçar em sua residência no domingo.

Minha assistente social permitiu, e a noite de sábado eu praticamente não dormi, ansioso em encontrar-me com ele e sua esposa.

Logo os primeiros raios de sol atravessam minha janela, e eu já há muito estava pronto para a saída, aguardei na portaria até que alguém fosse me buscar como estava combinado com minha assistente social.

Mas ao chegar na casa dele tive uma surpresa que me fez radiante a cada instante que estava agora sendo-me muito importante.

Uma pessoa me é apresentada, Rose Marie Muraro, da Editora Vozes. E durante o almoço discutimos novos planos para minha liberdade como o fato de eu escrever um livro, contendo poesias. Daí a ideia de transpor neste livro fases de minha vida, e é lógico que me fixei na fase mais constrangedora de minha vida, minha estadia na Febem.

Naquele domingo, eu não me cabia em felicidade. Voltei para a Febem somente no final da tarde, com ideias e mais ideias de como iniciar este livro. A tentativa de ter um sonho realizado. Hoje sinto que logo muitos terão nas mãos uma estória verídica, sofrida, e tão esquecida pelos homens.

Dentro de alguns dias começo a trabalhar na Assembleia Legislativa, mas todas as noites o carro me leva de volta à Febem até que minha liberdade seja legalizada perante o Juiz Corregedor de Menores.

Mesmo prestes a me despedir definitivamente do Sr. Humberto, ele, em uma de nossas discussões, ameaça me mandar para um sanatório, porque eu me recusei a cumprir o castigo na cafua, por ter respondido a um funcionário.

Ele pega o aparelho telefônico e fala com Richard (psiquiatra da casa) para que meu encaminhamento fosse preparado, pois eu não tinha condições de continuar na unidade.

Enquanto ele falava ao telefone, o sangue me fervia nas veias como larvas de um vulcão em erupção. Eu dei um murro no telefone jogando-o no chão.

As coisas pioraram, apanhei à noite dele e do inspetor Abel (seu carrasco), que queria me obrigar a entrar na cafua e desistir de sair da unidade, pois o Sr. Humberto disse que eu só sairia de lá quando estivesse de "bigodes brancos". No dia seguinte, na Assembleia, conto ao Sr. Eduardo o que havia acontecido, e graças aos céus no dia seguinte minha assistente social diz que havia recebido o ofício que me desligava da unidade definitivamente. Daquele momento em diante eu estava nas mãos do Sr. Eduardo. Eu confiava nele mais do que nas minhas próprias decisões. Arrumei minhas coisas. Um carro me aguarda na saída. Aquele último olhar aos menores que durante tanto tempo me acompanharam sem receio, confiantes. Mas era chegada a hora do adeus, um breve adeus, quando nem mesmo a língua se movia direito, pois os soluços lhe faziam engolir aquele pranto de felicidade, mas de dúvida por deixar todos nas mãos daquele homem. Sabia que seriam espancados, torturados, sabia de tudo. Foi aí que prometi que faria algo por eles, contaria aqui fora de tudo que se passava escondido lá dentro. Não sabia se adiantaria muito, talvez nada, talvez um mínimo. Bastaria que eu fosse mais um a unir-me em defesa dos menores carentes, como dizia um provérbio antigamente: "Você pode não ser nada para o mundo, mas pode representar o mundo para um alguém".

Eles continuariam durante tempos ainda naquele mundo onde a ilusão predominava e eu partia para um mundo diferente, muito mais iludido que aquele, pois nesse mundo aqui fora, as pessoas se iludem tanto que se tornam incapazes de reparar, de apurar o ouvido e ouvir um dos nossos minúsculos gemidos.

Eu há muito sabia que um dia diria obrigado por algo de bom, como todos os menores, eu sei, sonham em ter alguém, para um dia poder agradecer. E eu tive. E se me permitem, gostaria de agradecer a esse caminho, a essa luz, este ser, este homem, este amigo, este mestre que me ensinou a viver...

São Paulo, 5 de setembro de 1980.

Ao Sr. Eduardo Matarazzo Suplicy;

Sabe homem; nem sei o que seria do universo se todos os homens merecessem serem chamados por homem.

É algo difícil de se explicar, e pessoalmente eu jamais conseguiria, pois me faltariam palavras para poder descrevê-lo; e talvez seja por eu sentir vergonha de que me interprete mal.

Mas é essencial para mim dizer o que penso, por isso espero que me compreenda, mesmo que eu não consiga escrever as palavras corretamente.

Sabe, você sabe minha estória, sabe de onde vim, sabe tudo de mim, e talvez saiba até aquele restinho que eu não quero admitir.

Poucas vezes vi seus filhos, mas muitas vezes pensei sozinho o quanto eles devem andar de cabeça erguida, com o peito cheio de orgulho, por notarem o pai formidável que têm.

É certo que você me conhece há pouco tempo, e talvez pense até que eu sou somente uma pessoa a quem você estendeu a mão, e que eu não contribuí em nada, apenas lhe dei problemas e despesas.

Mas eu não penso assim de você, e isso é que me importa. Você para mim é a vida que eu vivo a cada dia que se passa, é quem quando me ajudou não me rejeitou nem por um momento por eu ser apenas um pedaço de sangue já coalhado e pisado, quem me tirou o lodo que cobria a minha face. Enfim, palavras não seriam suficientes e sim um esforço de minha parte para que um dia você possa sentir que compensou alguma coisa todo este trabalho que está tendo agora.

Bem, acho que não adianta dizer mais nada, pois a realidade não é feita somente de palavras e sim dos atos diários de cada pessoa.

Para resumir o que tanto tento dizer, sem querer ofendê-lo, é que você é aquela linha que a maior parte das pessoas têm na vida, mas na minha vida o destino já se intrometeu duas vezes e apagou o que estava escrito, a linha onde se escreve o nome do nosso pai.

De quem sempre te lembrará em cada lágrima ou sorriso de vitória...

HERZER

E a este Homem, eu agradeço, e sei que muito mais tenho a agradecer, pois ele não teve preconceito algum sobre minha pessoa. Ele não quis saber qual era meu nome exato, ou por que um nome feminino denominava uma pessoa como eu, um pessoa que lhe falava franca e abertamente a respeito de meus casos amorosos, da beleza desta ou daquela, ao passo que antes eu só conhecia as opiniões dos "homens", *pobres homens*, que me criticaram e ainda criticam hoje dizendo que eles sim eram homens, pelo órgão que tinha no meio de suas coxas, e o fato de eu ter muitas namoradas não me fazia um homem, e agora depois de tanto tempo pensando na miserável mente destes homens. Nada tenho a dizer sobre estas mentes cobertas, sobre esta ignorância tão forte que os transforma de homem para MACHO, minúsculos machos que pensam trazer seu caráter em forma de duas bolas no meio de suas pernas.

Mas sobre estes não acho conveniente gastar palavras para tentar uma explicação ou uma desculpa para esta amnésia perdida, pois tenho nas mãos uma missão muito mais real, mais vantajosa, mais verdadeira, por algo que vale a pena discutir e se necessário gastar dias, anos, para encontrar uma solução ou pelo menos tentar contribuir com este esquecido, repudiado, corroído pela cicatriz de sua geração, esta cicatriz que lhe sangra todas as noites, dentro de uma cela, num "pau-de-arara", numa tortura que antes de lhe ferir o corpo fere primeiramente seu coração já magoado, já tão espezinhado, tão pequeno mas tão imenso contendo toda a revolta que a razão do Macho joga contra o peito deste calado e amordaçado menor que *nós* temos.

O tempo vai passando, olhos vão se tapando à luz do sol, corpos estendidos inertes e frios numa rua escura, tiros varando o pequeno corpo humano, fome atacando no estômago vazio da mente solitária, frio arrepiando braços que se aquecem no sangue quente durante um assassinato.

E me perguntam as pessoas se o problema do menor tem solução; e do meu ponto de conhecimento eu respondo: "Tem!" Mas antes precisamos resolver entre nós uma única questão: Quem está disposto a entender, perdoar e estender a sua mão a um menor?

E esta questão precisa ser resolvida logo, pois eles estão todos aí, simples guerreiros sem fardas que andam pelas ruas à procura de ajuda. Não encontrando nada, a primeira vida à sua frente será sua medalha, medalha esta que não lhe dará direito a homenagens ou troféus no futuro, mas sim, somente mais um dia de vida nessa luta presente em que nos encontramos. Às vezes matar, para poder sobreviver por mais alguns dias...

ANDERSON HERZER

Parte II

POEMAS

Leitor:

Nestas palavras expresso o meu mundo
em que às vezes eu me perco e me confundo
minha tristeza está expressa em meu olhar
minha verdade, nestas folhas a voar.
E meus sonhos...
Às vezes os meus sonhos têm fim triste
ou às vezes conseguem até obter glória
e agora seja você quem for te revelo
em poesia, minha história.

O autor

Caminhos do perdão

Eu,
andando perdido encontrando teu olhar no lugar onde as estrelas
me apontavam para seguir
Eu,
um homem solitário, ancorado, como um veleiro sem turistas
Eu,
transtornado como bêbado sem pranto para chorar
assassinado como borboleta que vai aos céus com uma das asas sangrando
Eu, um homem triste que se abandonou pra ser sozinho.
E você,
apenas uma lembrança como herança do passado
linda, como a cantiga da lua com todos os seus versos de prata
e te adorei tanto que meu amor de tão imenso buscava o fim do mundo
mas por mais devagar e leve que eu pisasse, meus passos eram profundos
e marcantes

na madrugada as luzes aos poucos adormecem transparentes
na tua distância construí um templo para o final do sonho
e neste final, uma porteira que só dá entrada à tua morada
nas ondas do mar restaram apenas ilusões agitadas que se
esqueceram de mim
e é ainda naquele teu adeus que chora hoje minha saudade
e é ainda naquela tua partida que estou indo por atalhos à
tua chegada.

Meu eterno crucifixo

Sumindo, vagando e o verde desbotando,
e a terra ressecando,
o sol já não mais brilha,
está tudo escurecendo, está tudo sumindo, tudo vagando.
E eu te perdendo e eu te procurando,
e você talvez seja castrado em sentimentos,
você se derreteu em gotas de dor,
você impuro, você derrotado,
você com marcas, cicatrizes de amor.
E a dor ameaça, o sofrimento transborda sangue;
na garganta um nó que te impede de falar,
no ouvido um som que me obriga a soluçar,
no coração um aperto que te obriga a gritar.
Me deito no solo, rolo no mato sujo,
me agarro num tronco oco
para não cair na desgraça e não ser comido pela traça,
e devorado pelo amargo desgosto.
Suma, vague...
morra de sede, chore sangue coalhado
se você moresse só, sem dó
eu jamais teria duvidado e me matado.

Me matei num sonho rouco
num amor derrotado, vagando.
Acordei agora, você partiu e voltou,
você ressuscitou, meu Deus, estou te amando.
Deus, eu te critiquei, eu te xinguei
te maltratei, nunca te respeitei
e nunca em você pude acreditar,
e você morreu e renasceu
e para mim veio eterno se provar.
Será que és tão humano assim
para depois de tudo me perdoar?
Eu não ouvia tua voz, não te encontrava
te humilhava, não te via.
Mas agora você me perdoou, te vejo em todos os cantos
– Deus, você é eterno, não é mito, nem poesia.

Encontrei o que queria

Eu queria ser da noite o sereno
e umedecer o vale seco e pequeno.
Eu queria, no dia claro, luzir
para ao amor todo o povo conduzir.
Eu queria que branca fosse a cor da terra
e não vermelha, para inspirar a guerra.
Eu queria que o fogo me cremasse
para ser as cinzas de quem hoje nasce.
Eu queria que os mais belos poemas fossem de Deus
para neles encontrar as virtudes dos irmãos meus.
Eu queria e muito queria saber ganhar
para que as simples alegrias pudesse comigo guardar.
Eu queria, como queria saber perder
para agora tanta saudade de ti, não sentir doer.
Eu queria morrer agora, nesse instante, sozinho,
para novamente ser embrião, e nascer;
– Eu só queria nascer de novo, pra me ensinar a viver!

A canção da saudade... eterna

A Pedro Peruzzo

Meu pai...
Eu não ouvi seu grito de dor,
nem mesmo limpei seu pescoço ensanguentado,
não vi a terra cobrindo o seu corpo
nem disse adeus, quando aos céus foi levado.
Sabe pai,
a gente nasce e logo cresce,
e em alguns momentos de você se esquece,
esquece o pouco que ainda há pra se lembrar
esquece que a derrota não é motivo para chorar.
E eu..., eu que nem ao menos conheci o tom da sua voz,
que te conheço por uma foto, já muito amarelada,
foto que um dia eu vi em sua catacumba,
com minha face molhada, vi sua face, empoeirada.
Pai, eu não cobri seu caixão de flores,
não segurei sua mão na hora da partida,
eu nem sabia o que o mundo estava levando
eu nem sabia que era você que estavam enterrando.
Se posso dizer que sei muito de você,

é porque sei como estava em seu caixão
mas não recordo do seu rosto ou de seus cabelos
apenas tinha as mãos postadas sobre o coração.
Naquele dia não chorei, não entendia,
ninguém me disse que era meu pai que eu perdia
portanto foi tão distante, e eu só vivia,
sem descobrir que o meu amor você merecia.
E agora, próximos estamos ao Dia dos Pais,
queria te dar o muito do pouco que tenho,
não vai ter festa, e nem presentes, só eu chorando
e algumas flores, ao cemitério, vou te levando.
Apesar de tudo, foi maravilhoso, pai...
Fiquei tão contente quando soube que eras boêmio,
e que cantava na madrugada, quando alguém pedia
por isso eu sinto, não estamos distantes e sim unidos
na canção triste, na poesia, na madrugada, na boemia.
E se alguém me perguntar por que canto na noite
direi apenas que canto a alguém que não verei jamais,
canto o amor e a saudade que do meu peito sai
canto chorando ao adeus mudo, de meu eterno pai.

São Paulo, 5 de agosto de 1980

Sedução

E uma dúvida cercava seus próprios desejos,
um embaraço rompia sua quase decisão
e dois braços lhe apertaram por inteiro
e logo eram quatro, entrelaçados, se amando no chão.
E quatro braços, abraçados puramente
unindo dois corpos em um só amor, simplesmente
unindo desejos até então interrompidos
unindo e libertando, carinhos indefinidos.
E toda a dúvida se fez silêncio
e no embaraço, nosso doce laço
nos seus lábios, o gosto de meu amor menino,
e no seu corpo o ardor do amor mulher
no seu suspiro o encontro marcado pelo destino
em meus olhos fulminantes, o prazer que tanto te quer.
Mas a vida de repente lhe gritou
você para ela novamente se voltou
e conosco sorrindo, nosso amor se levantou
e o momento tão sozinho, deitado no chão ficou.

A espera

E lentamente fecho os olhos saudosos
e no encanto noturno, em tua lembrança, adormeço
face exausta, corroída pela saudade
sonhos teus, e neles vago, de madrugada... padeço.
Tua voz ecoa na mente e a imagem se embaça,
tal qual a neblina, que arranha-céus, sem dó, enlaça,
qual a doença que fere menos quando desperto
qual dor imensa que anestesio de modo incerto.
E na incerteza, vou esmagando esta tristeza,
que faz de mim, inerte corpo sobre a mesa
e na esperança vou carregando tua beleza,
que faz dos prantos, belas luzes de pureza.
Nos teus cabelos, sinto a noite já esquecida,
sem teu calor já sou poeta em despedida,
não tenho paz, sou infinito amor sem fim
e aos céus imploro que um dia voltes para mim.
Venha com garras que eu te amo intensamente
venha sorrindo, minha bela estrela cadente
venha pra sempre nos meus braços se guardar,
venha sem medo,
que amando estou a te esperar...

Florescer

Prantos a rolar
nas faces humanas já sem compreensão
flores a secar
em terras perdidas sem amor irmão.
E se um dia eu tivesse
o calor que aquece
dores sem igual
e na noite encontrasse
a miséria que nasce
com o gosto do sal.
Sei que não compreendo
sei que não mais entendo
as dores do mal.
E se o céu me guardasse
das dores da face
todas sem feitio.
Pintaria teu sangue
e as flores do mangue
no meu céu de abril.

Mataram João Ninguém

Quando o próximo sangue jorrar
daquele por quem ninguém irá chorar,
daquele que não deixará nada para se lembrar
daquele em quem ninguém quis acreditar.
Quando seus olhos só puderem fitar o escuro
quando seu corpo já estiver inerte, frio e duro,
quando todos perceberem morto João Ninguém
e quando longe de todos ele será seu próprio alguém.
Tantas mãos, tantas linhas incertas,
tantas vidas cobertas, sem ninguém pra sentir,
tantas dores, tantas noites desertas
tantas mãos entreabertas, sem ninguém pra acudir.
Qualquer dia vou despir-me da luta
pisar em coisas brutas, sem me arrepender.
Tão difícil ver a vida assassinada
quando estamos já tontos pra tentar sobreviver.
As perguntas sem respostas, sem nada,
as vidas curtas e desamparadas
o último grito que não foi ouvido
calaram mais um homem iludido.
E no mundo não dão mais argumentos

pra fugir aos lamentos
de quem sozinho falece.
Para esses, não há mais compreensão,
não há mais permissão, para que se tropece.
Na televisão o aguardo da cotação
um instante ocupado, para dizer morto João Ninguém
mas a aflição ataca, a cotação subiu ou caiu?
e João morreu... ninguém ouviu.
Eu vou distribuir panfletos,
dizendo que João morreu
talvez alguém se recorde
do João que falo eu.
Falo daquele mendigo que somos
pelo menos em matéria de amor,
daquele amor que esquecemos de cultivar
o qual com tanto dinheiro, ninguém jamais coroou.

Morte de um poeta

Uma palavra...
Talvez de alegria ou talvez de tristeza.
Será que alguém teria prantos para esse momento,
teria voz, ou sequer um gesto para esse momento?
Talvez nada possa existir agora
nem mesmo vida...
Porque acabaram-se as existências
porque já é morto um pedido de vida,
agora morreu um ser que descreveu em vida,
toda a beleza de uma lágrima,
todo o sentido de um grito surdo.
Morreu agora... o Poeta.
Silêncio
O corpo é contemplado com serenidade,
as lágrimas ressoam sussurrantes, e descem em fileiras
pelas faces
de todos que acompanharam o seu mundo.
Ao seu redor as flores pareciam querer dizer
que a vida morreu de viver.
Olhando um corpo frio, estendido sobre a mesa,
coberto por um preto véu,

iluminado com velas em castiçais e rodeado pela revolta,
pela mágoa dos corações que estão apertados dentro de
cada um.
Talvez todos devessem acreditar na ressurreição
e gritar para acordar a vida falecida,
e agora, abandonada pelo cantar dos pássaros,
solitário está aquele corpo, já começando a vagar
pelos caminhos da nova e infinita existência.
Será que ninguém vai se mover, nenhuma flor vai se abrir
será que a vida parou no tempo, falecida?
Por que não falar, chorar, gritar, ou então
por que não se dizer aquele corpo, antes de sua partida
eterna,
o que ele desvendou da vida de uma lágrima?
Uma poesia!
Agora que as palavras de afeto se acabaram,
agora que não há mais amor em meu coração,
agora que eu sinto que todos morreram,
porque quem nos falava de amor, está partindo.
Nenhuma lágrima, nenhum gesto, nenhum pedido...

Este nosso amor

A Natália do Vale

Amo-te,
amo-te no silêncio perdido da canção fúnebre
amo-te no escuro que torna cega a luz do sol
amo-te no sangue do último poema assassinado
amo-te no pranto, no grito rouco, amordaçado.
Amo-te,
Amo-te sozinho quando muitos te esqueceram
amo-te no desvio em que tantos se perderam
amo-te lutando quando muitos se fracassam,
amo-te com vida, quando tantos sentimentos se castram.
Amo-te,
amo-te no hoje que esqueceu de acontecer,
amo-te no tempo que me guia ao envelhecimento
amo-te até mesmo quando por poucos for lembrado
Amo-te... pra sempre!

Estado psicológico

E de chorar, já sou pranto;
de relembrar, esquecido,
nas mãos, palmas calejadas
cavando desejos, proibidos.
E de pensar, já sou louco,
não há encontro pra mim,
não tenho nome em tua lista,
não iniciei, sou sem fim.
Com tantos erros passados,
ganhei má fama sozinho,
com tantos passos errados
não encontrei meu caminho.
Tentei abrir as mãos e não vi nada,
nem mesmo aquele beijo da mulher falada,
nem aquele antigo abraço que ganhei,
eu lutei... perdi! Porque contigo errei.
E de pecados, sou negro,
de relutar, sou sem forças,
de persistir, sou sem vista,
de agredir, comunista!
Não tenho eira nem beira,

não tenho amor para amar,
não posso amar quem não aceita
lutar e ver fracassar.
E vou seguindo sem luzes,
ninguém verá minha partida,
não quero deixar saudades,
nem prantos na despedida.
E se me quer na lembrança,
guarde meu nome contigo
meu nome é nome, só nome
é simples, mas decisivo.
Na flor das noites de sangue
eu parto sem chorar dor,
eu parto, mas deixo contigo
o que fui aqui,
... deixo amor.

Poesia-passagem

Em mil delírios roucos de abraço
sentindo o tremor do corpo teu,
em vezes me entristeço nos compassos
sentindo o amargo gosto do adeus.
Sem flecha, sem o arco, sou seu índio
das terras onde a guerra se findou,
sem medo, sem rancor, sou seu gemido
no espaço em que teu braço me cercou.
Não quero mais saber da boemia
se em casa tenho o gozo de viver
e junto ao gozo toda a alegria
de ser amado e de te pertencer.
Fingindo ser criança, sou seu homem,
e no teu seio perco a minha idade
deitando em nossa cama sou selvagem
menino delirando de saudade.
E de manhã acordo em teu nudismo
querendo novamente anoitecer,
para afagar de vez estes desejos
que me pintam pras guerras do prazer.
Nas ruas de você não me despeço

para sentir que estou junto de ti
e a noite vem chegando pouco a pouco
e sem nem perceber eu já fugi.
Fugi da vida para os teus braços
que ardentes me afagam sem cessar
e no amor as luzes se adormecem,
criança sou de novo a delirar.

Esquecido poeta morto

Todos vão esquecer que um dia eu existi
nem meus vastos prantos vão sobreviver,
versos com poeira de minha razão
sãs lembranças de um poeta solidão.
E meu nome negro será terra ressecada
como a colheita que morreu sem dar o fruto
e na distância do azul vou ser imagem
e embaçado pelas nuvens serei um luto.
Quando olhar para baixo e avistar
homens sozinhos corroendo seu penar
farei um poema que esqueceu de ser lembrado
ao homem vivo, hoje porém crucificado.
Quando na chuva puder vir a flor brotar
saiba que nela estarei a navegar
lavando a terra, desfazendo a crosta antiga
dando outra chance ao ser humano em terra lisa.
E se nos céus ver nuvens negras durante o dia
é que de tanto não ser ouvido, adormeci
é que de tanto lhe alertar antes do erro
me fiz penumbra, pois outra vez me iludi.
Mas qualquer dia, também sozinho a mim virá

um homem cego procurando um ninho eterno
e encontrará seu leito pronto em nuvem negra
verá que a morte é o sono lento após o inferno.
E dos meus poemas empoeirados, serei luz
a todo homem que esqueceu de me lembrar,
serei figura, imagem oculta, já a reinar
nos céus sozinho, depois de tanto aqui chorar.

UM HOMEM JAMAIS MORRE, ENQUANTO
SUA EXISTÊNCIA FOR RECORDADA.

Você, sempre você

Um mar eufórico jorrou de repente
e transbordou sobre meu peito solitário
fez de meu leito um lago dormente
de meus pensamentos, sua doce voz ardente.
E cachoeiras rolavam em outrora
cachoeiras de paixão, promessas e saudade
o lago secou não há mais cachoeira agora
somente seu nome, na presente realidade,
somente felicidade, sobre o peito que não mais chora.
No peito ficou o pulsar do seu peito
na lembrança seu nome, seu jeito,
nas palavras um pouco de todo seu restante
nos olhos cicatriz de amor, sempre constante.
Cicatriz visível e pura
que se infiltrou com candura
cicatriz que não sangra, doendo
cicatriz como eu... lhe querendo.

O... poema a um pai adotivo

Pai, quando você morrer eu não vou chorar
pra compensar todo o pranto
que você me obrigou a derramar.
Pai, quando você morrer
eu não quero lembrar sua existência
pra compensar toda a vida que você esqueceu que eu tinha.
Pai, quando você morrer, eu vou pôr roupa branca
pra compensar toda a paz que você me impediu de ter.
Pai, quando você morrer, eu não vou à missa
pra compensar os pecados que eu paguei mesmo inocente.
Pai, quando você morrer, eu quero gritar bem alto
pra compensar toda a mágoa, que você me fez sofrer calado.
Pai, quando você morrer, eu vou levantar os olhos
pra compensar todas as vezes que eu chorei cabisbaixo.
Pai, quando você morrer, eu vou tomar um porre
pra compensar todas as vezes eu você me aporrinhou.
Pai, quando você morrer, eu vou cuspir todo o ódio
pra compensar o instante em que você me cuspiu de sua vida.

Pai, quando você morrer, eu vou te olhar de frente
pra compensar todas as vezes que você me deu as costas.
Mas Pai...
Enquanto você for vivo
eu vou escrever um livro
pra dizer que não sou culpado.
Pois quem me dera ao invés de adotivo
viciado, marginal e revoltado
eu fosse só, tão somente
um menor abandonado.

Adeus escuro prazer

Nem quisera pensar em um dia voltar
para mim e para os meus sonhos.
Nem tivera a coragem
de um dia me amar e mergulhar junto a mim
nos martírios do mar...
Quero te esquecer, preciso me perder
nos caminhos do infinito desconhecido
para nunca mais amar e sofrer!
Fiz de ti o meu mundo, de tuas palavras o meu guia
mas cada vez que te encontrava
muito mais eu me perdia.
Eu sou mais um pedaço, entre a dor e o amor
sou mais um que foi marcado, pelo mundo sofredor.
Esta é a última poesia que escrevo
pensando em ti e em te amar
nós fomos mais dois pedaços, que a vida veio separar.
Te guardarei na memória, sem desprezo, sem rancor
pois você foi uma parte do meu mal, do meu amor.
Adeus estranho romance
que nasceu e que eu fiz
você para mim é passado
agora serei feliz.

Encontrei-te

De ti surgiram as carícias, os lamentos e o amor,
dos seus beijos eu nasci, como se estivesse em outro mundo.
O teu corpo junto ao meu, só prazer você me deu,
me levando por um caminho escuro, envolvido por um amor obscuro.
Encontrei-te, meu viver.
Eu te quero, te desejo,
sem sofrer e sem ter medo,
de um dia te perder.
Chorarei, sofrerei,
mas sobretudo, lembrarei,
do nosso amor, das nossas noites,
sob a luz do luar, o balançar das árvores, o resfolegar do meu coração.
Meu coração tão pequeno que se encheu de amor,
e por isso, tornei-me gente grande,
capaz de amar só você,
de pensar só em você,
e de me entregar, todo e inteiramente só a você.

De quem não te esquece; pra que não me esqueça.

Ao futuro

Diga-me com certeza, Senhor futuro,
quem será o próximo a pisar na estrada da agonia,
quem irá chorar e enxugar os olhos com o ardor da dor,
quem irá chorar na beira desta estrada, sem forças pra dizer adeus,
quem irá orar seu último padre-nosso, de mãos postas, sem esperança,
não irá me dizer, você não fala, só age.

Age quando não há mais tempo para o arrependimento,
quando não há fôlego para o grito de socorro,
quando não há remédio para sufocar a dor,
age num ato irrevogável, definitivo, sem cor.

Mas você apesar de tomar suas decisões
e não retornar, por mais que te implorem,
eu acho responsável e brilhante, Sr. Futuro
pois todos o sabem, sua pessoa jamais está ausente,
e para impedir uma ação dolorosa de sua parte
basta cativá-lo corretamente no presente.

É só, tornarei a vê-lo, daqui a um décimo de segundo.

Raízes de um coração

Você me deu a paz de seus momentos
me deu razões pra suportar a dor
até esta lembrança em pesadelos
mas esqueceu de dar o seu amor.
Você me fez poeta em seu reino
me fez ser possuído como quis
mas esqueceu do meu maior desejo
você esqueceu de me fazer feliz.
Você me confessou suas fraquezas
me confessou um dia seu querer
e até me abraçou coberto em prantos
confessou que temia me perder.
Você me trouxe versos esquecidos
me trouxe o riso que eu esperava
mas entre tantas coisas que me trouxe
você levou você que eu precisava.
Você me prometeu beijos eternos
me prometeu carícias ao luar
mas todas as promessas se findaram
pois também prometeu não mais voltar.
Por tudo que me deu me fez amante

por tudo que me trouxe, eu confessei
e prometi em voz alta e a mim mesmo
nem que me esqueça, eu sempre te amarei.

Meu momento crítico

Os homens de hoje não se preocupam mais com problemas da humanidade!

E, nesses "problemas", incluo todo o tipo de pessoas: débeis mentais, mutilados, homossexuais, epilépticos, alcoólatras, enfim.

Esses tipos de pessoas deixaram de ser considerados gente, e passaram a ser, simplesmente, *defeitos da humanidade*.

Mas, se esses "defeitos" são vistos por todos, quem restará para ver os defeitos do homem de negócios, que vende o seu nome, num palco chamado Orgulho, e que critica a todas as pessoas em voz alta e pública, e que isola-se do mundo, com se ele fosse o pedaço de pão nosso dia a dia?

Mas, se os homens normais são tão sábios e bons, por que não foram registrados desde o nascimento com o nome Jesus?

– Por que Jesus tem olhos e vê os erros dos homens hipócritas...

Pensamentos

Se o rio da sua vida secar, seja paciente, pois nele ainda irão surgir muitas cachoeiras.

Por trás de todo e qualquer vulto escuro, sempre existe a imagem viva de um ser humano.

Numa estrada sem luz, teu olhar fez da vida um pranto iluminado.

Ame sempre aquele que pouco te dá, e não aquele que muito te promete.

Um além para este amor

Adormecido no silêncio deste instante
te abracei, revi o que já passou
e tão perdido no abraço do teu corpo
senti a febre que em mim se desandou.
E nesta febre arde meu desejo
as mãos tremem ardentes por querer
o peito canta alto a agonia
é mais uma canção do meu sofrer.
Sua voz ecoa num canto perdida
tua face chora a volta sem saída
tua mão acena ainda em despedida
teus passos buscam a volta sem a ida.
No anoitecer a dor se faz presente
o pranto chora o ontem que restou
e em ruas que passaram tanta gente
eu vejo foi você só quem ficou.
Desperto em outro dia, a noite clareou
mas mesmo neste dia, vejo que em você estou.
Enxugo a face triste, sorrio pra um jardim
mas mesmo no sorriso, tua distância chora em mim.
E sonho, em outra noite, ter a canção do mar

na areia o teu nome e nas ondas teu olhar.
E neste mar me afundo, sem tentar me socorrer
as ondas já me enlaçam e,
...só assim pude viver.
Morto, para jamais lembrar de te esquecer.

Mar do amor eterno

Mar do futuro, mar jamais sonhado
mar do infinito, mar amaldiçoado.
Tantas promessas de amor você já ouviu,
de tantos laços você foi testemunha,
você abençoou o casal de namorados,
com suas águas de reflexos azulados.
Tantos gritos você fingiu não ouvir
deixou suas ondas várias vidas cobrir
por inocência, quer alguém para si mesmo
pra não desperdiçar suas ondas, tão só, a esmo.
Nas suas águas, já gritou a dor ensanguentada
e o eco do grito, com sangue, pingou na areia
e aí se tornou dona da alma de sua amada
tentando com isso fazer dela sua sereia.
Você a sufocou, você a amou
você a prendeu, a amordaçou.
Mas você amou tanto que...
– Mar, você a levou,
pra sempre...

Canto de amor

Tua distância aumenta o meu desejo
fecho meus olhos para não te ver,
mas quanto mais procuro não te ver
quanto mais fecho os olhos mais te vejo.
Humildemente atrás de ti rastejo
humildemente, sem porém te convencer
e assim sentindo em mim crescendo
o meu ardoroso e romântico cortejo.
Sei que jamais irei possuir-te, sei
que outro feliz, ditoso como um rei
enlaçará teu corpo virgem em flor.
Meu coração porém nunca cansa
amam metade os que amam com esperança,
amam um pouco os que amam com ardor,
amando assim, sem esperança
posso sentir o verdadeiro amor.

Prostituição e o fim da vida

Se na madrugada triste você chorou,
se em um canto seu pranto derramou,
e se pra mim, me contasse sua vida
eu conseguiria lhe mostrar aonde errou.
Olhar em seus olhos e vê-los sorrindo,
beijar sua boca, lhe abraçar, lhe sentindo
acariciar sua face e todo o seu corpo
e do meu amor sincero ir lhe cobrindo.
Deitar-lhe no solo frio, e deixar que seu corpo todo
toque nas regiões sombrias,
com gosto de vida e morte de fogo.
Puxar você pelo braço, e deitar-me a seu lado
e mostrar-lhe que te amo, esquecendo seu passado.
Seu passado forte e errado
que marcou sua vida de mulher,
uma mulher que luta por um amor
que mesmo pecando, ainda a quer.
Venha cantar sua canção aqui
e a dedique a quem você amou,
cante tudo o que fez na vida
e diga a todos que você pecou.

MULHER...

Você errou no destino puro,
pôs em jogo uma vida alheia
mas pode se recuperar agora
pois sua vida, você mesma semeia.
Você defrontou-se com a noite fria,
deitou seu corpo a quem quisesse usar,
mas ninguém sabia que você mulher
era humana, e também precisava amar.
Agora que se arrependeu, antes de fechar os olhos,
e que sua vida Deus vai levar
explique a Ele o porquê da vida e morte,
tenha certeza, Ele vai te perdoar.

Trovas

Se o silêncio estivesse gritando às almas esquecidas,
essa penumbra, talvez se movesse.
Uma massa de cimento, nada mais,
tapa o sol, aos olhos de todos esses mortais.

Porque sem acreditar em ti,
por seu nome, baixinho, eu chamo,
porque se não me ajudas a ser feliz,
eu ainda escrevo, Jesus Cristo, eu te amo.

Porque você me pôs no mundo,
e logo após pelos caminhos do infinito se perdeu.
Porque você, minha querida mãe,
fechou os olhos eternamente, sem antes me dizer adeus.

Por que amar, por que nascer, por que viver, por que morrer
senão para dar continuidade à vida humana?

Um sorriso, em lábios puros, fascinantes,
é interrompido por uma lágrima a rolar
porque às vezes a vida nos proíbe
de ter um "eu te amo", para pronunciar.

Amordaçado em você

Em sua beleza afago meus desejos,
em seu calor me vejo a delirar
e no delírio louco do seu beijo
perdi minha razão pra contornar.
E tanto mais que ontem te devoro
por te querer sem mais poder voltar
não posso mais voltar à fase antiga
pois este coração quer mais te amar.
Na noite adormeci em tua lembrança
tentei, não consegui te evitar
e na manhã te tive como herança
do amor que está no peito a reinar.
Queria encontrar certas palavras
pra te dizer que todo este querer
me faz tão bem, mas não sei se amanhã
terei de que me acabar pra te esquecer.
Mas hoje eu acredito no futuro
tão puro deste amor a caminhar,
e sei que toda noite no escuro
eu vou sentir saudade de te amar.
Mas se amanhã lembrar que eu existi
não penses que de ti nada restou
não esqueça aquele beijo doce e ardente
e nem quem te beijou, quem te amou.

Só pra ela voltar

Saudade negra
daquela que foi embora
e meu peito hoje chora
sem caminho pra fugir.

Perto da praia,
ela à luz do sol me quer
mas se esconde da paixão
na sua fibra de mulher.

Jamais queria
ter nas mãos sua despedida
fui menino sem juízo
amando solto na vida.

Hoje estou só,
relembrando seu olhar
e você de mim distante
sofre pelo meu penar.

Se eu fosse Cristo
pudesse também criar
criaria linda estrada
pra você poder voltar.

Manhã

Hoje o peito range
geme lenta a amargura,
dói, sacode forte a saudade
na escondida felicidade
de sua imensa doçura.

Não há canção que descreva
este amor que tenho certeza
jamais verei padecer
pois inda range, geme no peito
a dor que dorme em meu leito
e só acorda pra te querer.

Ah, este amor!

De onde vem essa força que me prende a seus olhos
pra onde vão esses prantos que por você choro,
que fazer para obtê-la por um momento
como tirar sua imagem doce do meu pensamento?
Como perder-me por um instante em seus cabelos,
como fazer você responder aos meus apelos...
Meus olhos cantam uma canção de amor por ti
canção tão pura que nem no mar jamais ouvi.
Se eu pudesse tocar seu rosto em meio à chuva
e lentamente tocar seus lábios dóceis e quentes
tocar seu corpo, sem machucar sua pele frágil
e nos seus braços fechar os olhos eternamente.
Menina pura, como és formosa
tão bela e meiga, maravilhosa
tem nas curvas do corpo o desejo proibido
no brilho dos olhos, a dúvida ao meu pedido.
Sei que não adianta fazer mais e mais poesias,
pois nenhuma delas explicaria você,
só me resta fechar os olhos e te esquecer,
meu coração deixar chorar, deixar sofrer
e em meu peito, sua imagem, aos poucos, deixar morrer.

Dores

Por caminhos perdidos já passei
em estradas escuras, eu pisei
e abraçado, ao vento humilde eu voei
e ao pousar no solo seco, te encontrei.
Se tudo que agora penso, você pudesse ouvir
tenho certeza, fugirias pra longe de mim
pois meus olhos embora tristes, te adoram
e irão segui-la na noite escura, noite sem fim.
Você...
Você que sorri, mas não pra mim,
que dança, não para os meus olhos
que chora, molha a face e não deixa eu enxugar
que sai de casa, acena a mão
mas não promete se vai voltar.
E ao telefone tua voz distante
dizendo coisas que não entendi
pois para mim, era o bastante
ouvi tua voz, e te senti.
Mas de repente, você desligou
me disse adeus, só o silêncio restou
aos meus ouvidos, você não mais falava

você não voltou, você me deixava.
Me deixou só, te imaginei
tal qual a flor que um dia plantei
a rosa branca de amor e paz
que igual no mundo, não nascerá jamais.
Fui me deitar... que desespero
meus cabelos eram ninhos desfeitos
na minha mente girava teu nome
e de você, eu senti fome.
Você é o motivo para a fome do amor
e você dói no peito de muita gente
você fura os olhos de quem te quer
você é melodia, é poesia, você é mulher.
Você é miragem para minha fome proibida
é minha dor, meu pranto, meu riso
você é a doença que se faz querida
é a palavra amor, tão longe... perdida.

Ídolo

Elton John
o homem a quem um pássaro doou suas asas,
o amigo que chorou escondido num sorriso abafado
a pessoa que, calada, conseguiu transmitir felicidade
a voz, sussurro e eco no abandono iluminado.

Elton John
vida, caminho e encontro sem lugar
espaço pra cantar, pra dormir e pra chorar
canção-feto, semente do amanhã que vai nascer
ídolo e imagem eterna, raízes de um florescer.

Elton John
semeie, cante, transmita
que entre os fãs de raça mista
o meu aplauso será o som
e minha voz mesmo que fraca
cantará o canção que faça
noutro verso pra Elton John.

Luz vermelha

Lembra daquele dia
quando o sol no céu ardia
e um prazer nos corroía
na mais doce nostalgia
quando a gente se queria?

Lembra daquele instante
quando me tornei teu amante
e você, febre incessante
que queimava tão galante
e soava, já gestante?

Lembra daquela flor
que se abriu no nosso amor
e floriu nosso temor
salpicando nossa dor
com um perfume multicor?

E lembrando tudo isto
pensativo estou aqui
pois só hoje me lembrei
que eu nunca te esqueci!

A mulher composta de pureza

Na ilusão lhe esqueci
contra a vontade lhe deixei,
fingi sorrir, chorando
falando em ódio e lhe amando.
Mas o silêncio fechou-se dentro de mim mesmo
e senti a alegria apossar-se de mim.
Era apenas um sonho...
e a realidade ele não conseguiu enfrentar
e agora pertence junto mim, a você até o fim.
Compreendeu que veio durante a madrugada
e que a madrugada pertence a você
pertence por ser ele a noite que traz um outro dia
e quis também adorá-la e de longe fazer elegia.
A madrugada, esperança para o dia que começa a reinar
Você, esperança de todo ódio conseguir cremar.
Madrugada, noite que padece,
Você, luz que ilumina e a ninguém entristece.
Noite, escuro que falece,
Você, poema que enobrece.
Dia, solidão do povo, que apesar de juntos continuam sozinhos

Você, amor a todos, dando força em seus caminhos.
Madrugada, você transmite a dor do mendigo quando fria
Você transmite a paz que irradia a poesia.
Madrugada, para mim és a cor do próximo sorriso
Você, sorriso que dorme abraçado comigo.
Você é a ferida que dói e que não sinto no transcorrer do dia
e com certeza a razão de minhas ardentes e pacíficas
poesias.
Permita que o seu amor transborde junto a mim por todo
o tempo
deixe que transborde e após faleça,
pois estando morto em você, estarei mais vivo,
vivo quando a madrugada se amanheça
vivo, quando a tarde se anoiteça
quando...

Esta dor

Se soubesses que por ti sou agonia,
sou penumbra até sob a luz do dia
se soubesses que por tanto te querer
deixo em forma de tristeza o amor doer.

Nem sequer na ilusão eu te esqueci
pois meu peito não esquece mais de ti
e até na noite calma me tranquei
pra sozinho recordar o quanto te amei.

E você tentando tanto evitar
que este amor se desabroche ao luar
e você tentando tanto se esconder
deste amor que não tem mais como doer.

Esta dor...
esta dor que não tem mais como sangrar
esta dor que sofre tanto por te amar.

Gente, termo exato para sua identificação

Eras bela, em outrora, te vi
caminhando, sufocada por olhares,
eras simples, formosa donzela
como que colhida entre palmares
na manhã, da meiga e pura primavera.
Numa tarde, a passear estavas, sozinha
quando a um jovem cedeste teu olhar
por um momento, sentiste ternura
e logo após, estavas triste a chorar.
Recordara o amor daquele que fugiu,
e que deixou nos teus braços uma criança,
criança que escondes de todos, com receio
de não teres direito a outra aliança.
E aquele jovem da tarde passageira
como por encanto, por ti se apaixonou,
ficaste em dúvida, fugir ou entregar-te?
Anoitecera, e na manhã tu se casaste.
Após o altar, sincera fostes com teu amado
disseste tudo, do antigo amor, e eterno fruto
e ele partiu, e tu ficaste, outra vez de luto.
Ele se foi, mas te deixou dura lembrança
contou a todos, o teu passado, tua criança,

e na cidade foste alvo impuro, choraste, dormiste
e na madrugada, cabisbaixo, tu partiste.
A vida nova, te revela, as impurezas
e tu tão só, aos poucos perdes tua beleza.
Vives do pranto, vives do sexo, sem prazer ou gosto
e a cada dia, perdes teu nome, tua cor do rosto.

Por que tu clamas: – Ó Deus, perdão,
por que partiste do teu sertão,
por que és mãe, não te quiseram?
Qual ato mais lindo que o teu, já fizeram?

Retorne à vida, há quem confie em ti
na despedida, voltes a sorrir
a tua honra, não é perdida
ela te aguarda, basta tua iniciativa.
Se te repudiarem, não te abales
são pobres línguas, talvez nunca amaram
e se te chamarem mulher vulgar,
erga a cabeça, sejas audaz.

No amanhã, tenhas certeza
não pedirás perdão a Deus,
verás no espelho tua imagem bela
terás orgulho dos atos teus.

Verás teu filho, homem de pudor
dirás apenas: obrigado, Senhor!

O sofrimento jamais deve abalar tua esperança.

Deixe que o amor rasgue seu peito

O amor é encontrado em todos os cantos
sob o luar da noite, sob a luz do dia,
o amor está presente em todo coração
amor é luta, dor que não sangra,
amor é... poesia.

Deixe-me beijar suas mãos,
abraçar seu corpo, aquecer-lhe em meu peito.
Deixe que eu lhe acorde à noite,
lhe faça dormir na manhã,
amarrada nos laços de meus braços.
Se sentires frio, na madrugada,
deixe que eu pare o tempo,
e faça com que cubra você,
o calor de um sentimento antigo.
Deixe-se adormecer na areia,
deixe que o mar toque a ponta de seus pés,
que já tão secos, pela amargura de seu olhar.
Deixe que o sereno brilhe em seu rosto,
que a noite lhe faça negra,

que o céu torne azul, os rios de sua caminhada.
E se receias que possam falar de você,
tape seus ouvidos, no meu abandono,
deixe que sonhem na hora de seu sonho.
Eu quero deixar de lado, todas as inconveniências
para deixar que seu sorriso desabroche
para deixar que seus passos sejam livres,
deixar doer meus pés em sua estrada.
E se falarem que devo me afastar de você,
quero deixar sangrar a língua da ironia,
deixar morrer o riso do cinismo,
deixar queimar as mãos dos malfeitores.

E vou deixar que o amor me cubra de esperança,
e vou deixar que sujem as roupas, as crianças,
deixar que o dia amanheça a qualquer hora,
deixar que a chuva molhe o pranto de quem chora.
Deixar que alguém encoste a face no meu ombro,
que a saudade me abrace antes de partir,
deixar que o silêncio me desperte quando eu dormir,
deixar você se perder em mim, me apertar, me reconstruir.
E se na noite você estiver unida às minhas mãos,
quero deixar que a vida aconteça, que a noite amanheça.
E se chover no resto dos meus dias,
vou deixar molhar, deixar falar, deixar viver,
e no final de tudo: em você
...vou me deixar morrer.

O querer que já não pode

Lhe perdi e a dor dói solta
e a saudade já é uma louca
que aperta, destrói e afaga
e na manhã ela dói, calada.

Nem mesmo sei se ainda sou poeta
ou desta vida, uma simples peça
pra suportar toda esta dor
só por querer construir nosso amor.

Eu tenho tanto pra te dizer,
dizer o quanto a queria ter
dizer o quanto a queria agora
e que em silêncio minha alma chora.

Queria tanto te compreender
e nas noites, teu abraço ter
e nas manhãs, teu corpo nu
te amar no norte, no azul do sul.

A Vinicius de Morais

Nasceste...
esta fora a herança mais bela que aqui deixaste
pois em tua vida deste vida às coisas pequenas,
deste valor, desde as mãos do homem do campo
até as mulheres lindas e morenas ao sol de Ipanema.

Viveste...
em meio a boemias, a reais e belas poesias,
saudaste o luar, o trabalho, a razão do sofrer
saudaste a alegria, a canção do viver.

Temeste...
que momentos felizes o mundo perdesse.

Morreste...
sob prantos de teu melhor amigo, o povo
perante acenos com lenços brancos de paz,
tua vinda, tua partida,
serão esquecidas?
...jamais.

Levaste...
podes levar, sem receio,
a honra de teres sido querido e amado
terás na eternidade, o sorriso de alguém pousado a teu
lado.

Deixaste...
as palavras certas para cada pessoa
exatas esperanças, a cada criança,
um canto de paz e alegria, em cada lembrança.

Teu nome, relíquia que o mundo não doará jamais
tão simples, como tua própria vida: Vinicius de Morais.

Os seres humanos no ontem, hoje e no amanhã

Hoje é manhã, tão cedo, mas tão tarde para tantos.
Ontem como hoje, houve pranto, houve tempo que foi tanto,
e em todos os cantos, desencantos e encantos.
E amanhã...
haverá o mesmo tempo,
soará o mesmo vento
trazendo cantigas novas
em forma de prosas e trovas,
em forma de dor e de riso
e muito mais, num simples mas fatal improviso.
Queria tanto que as bocas se calassem,
queria ver flores que tão sozinhas nascem,
queria muito unir mãos de preto e branco,
não queria ser gente, apenas um de todos, um manto.
Um manto que envolvesse sentimentos bons e ruins,
pessoas de toda cor, raça ou pudor,
eu queria ter nas mãos uma pétala de um bem-me-quer
queria poder chorar por todos,
e sob a comunhão de Deus unir a má e a boa mulher.
Queria tanto unir todos os sentimentos
mas onde estarão eles?
Queria muito mais unir o mundo todo, queria tanto...

Impossível...

E como fazer para esquecê-la...
somente esquecendo tudo que me lembra você,
ou seja, os sentimentos antigos
sentimento amigo,
e o amor que escorre perdido.
Como fazer para esquecê-la...
somente me tornando rude e frio,
pisando nas coisas boas que ainda me restam,
tapando os ouvidos, calando assim os carinhos que
cessam.
Como fazer para esquecê-la...
somente amordaçando os lábios que te desejam,
algemando mãos que te suplicam amor,
acorrentando passos que te perseguem no riso ou na dor.
Como fazer para esquecê-la...
somente esquecendo tua existência,
somente encontrando a amnésia perdida
somente sangrando minha própria vida.

Desabafo de um peito

Na noite, a chuva toca a terra em silêncio,
toca a flor que estremece ao relento,
e da rua tira o pó, o sangue derramado, enfim
mas só não tira você do meu pensamento.
Pois você é como a chuva noturna
que toca de leve, mas me faz sentir-te o bastante,
e umedece as áreas do meu corpo cobertas,
e me toca em todos os pontos de maneira certa.
Você é alegria que quando parte se torna saudade,
é o beijo de paz, substituindo a maldade,
é a lágrima que molha meu rosto de felicidade,
é a causa do sorriso de uma criança triste,
é o meu grito momentâneo
revelando que o amor ainda existe.
Você é o suspiro que desperta minha madrugada,
é o sereno que ecoa na noite calada,
é quem faz do fim a esperança,
é quem vai embora e penetra em cada lembrança.
O que mais dizer sobre você?
Não há palavras que a possam alcançar
então me calo, prefiro, dentro de mim, te guardar,

para que a noite, eu possa te acariciar,
e na manhã, sob a minha cama te olhar,
e no próximo desejo poder te abraçar,
e nesse abraço, cada vez mais, te amar.

Sede de você

É noite, o silêncio é minha prece
e eu, poeta que se entristece
e choro sem qualquer rumor
sofro baixo para esconder
este amor que deixo escorrer
nesta face de sonhador.
Este amor é dourado, segredo
que desejo tal qual o brinquedo
que na infância jamais possuí
é um abismo belo e transparente
que com meu coração adolescente
meu soltei e amando... caí
Hoje trago os olhos tristonhos
e no peito pulsando os sonhos
que a vida impediu de ter fim
e amante vou colhendo no chão
as sementes de minha ilusão
que iludiu e esqueceu-se de mim.
Fui pra longe, distante de ti
e hoje vi que jamais saí daqui
pois pra mim não existe querer

nem estradas que me façam obter
um lugar pra tentar te esquecer.
E no peito arde forte uma chama
de poeta que tão forte ainda ama
e não pode nesta noite calar
estes olhos que estão a chorar
mas que um dia, hão de ver-te voltar.

Enquanto existirem lágrimas de amor
a esperança não morrerá seca, como flores do nordeste
pois as lágrimas regam, cultivam e por fim enobrecem.

Sonhos inertes

Nas lembranças trago sonhos inertes
que mesmo menino a luz do sol cultivei
que mesmo impossíveis eu talvez transformarei
que mesmo sem cores multicores pintei.
Meus sonhos são andorinhas livres
que não mais voam na visão do presente
que não mais brancas ante a cor no momento
que não mais cega, ante o homem atualmente.
Em direção aos céus acenava a São Jorge
e minha mão pequena no contraste do azul era a paz
mas os homens pintaram meu céu de cinza
cresci de mim, São Jorge não lembra mais.
E com o tempo fui andando pra bem longe
e nas bagagens carregava a coroa esquecida
coroa hoje usada apenas pelo rei das guerras
mas em outrora fora o chapéu de quem nos deu a vida.
E nas viagens retornei a moradas antigas
na felicidade não pude entrar sem passaporte
no casebre do amor não pude entrar só por amar
e a humanidade estava trancada com ferro forte.
Não pude mais falar poesia pros passarinhos
pois minha linguagem lhes era agora indiferente

não pude mais ter a paz branca das andorinhas
pois até elas não lembram mais de antigamente.
Sonhos inertes estão agora a soluçar
porque cresci e não tenho a quem sonhei amar
até ela me esqueceu nos vãos do tempo
até ela perdeu o dom de perdoar.
Minha poesia é perigoso contrabando
porque amor não se pode mais levar
e existem portas no coração de uma mulher
que tanto amo e que não quer meu amor guardar.

Senhor:
Umedeça minha testa com sua água benta
adormeça esta dor que sangra da cicatriz
puxe lentamente o punhal cravado em meu peito
pois até a esperança não me faz mais efeito.

Senhor:
Ilumine esta estrada, pois minha visão é embaçada
pelos prantos que inda trago de outrora.

Senhor:
Nos afaste da guerra, pois aqui nessa terra
a dor destrói e devora.

Senhor:
...

São Paulo, 28 de junho de 1982

Minha confissão

À luz opaca de um dia triste, num lugar sem nome, sem árvores, sem jeito de existência.

De repente, surge um homem, com ideias fixas no objetivo de um amanhã melhor.

Chega até ele uma pessoa que não tem afeto e procura alguém que possa lhe ceder um apoio moral.

Após sua chegada, olho novamente ao redor, vejo árvores, sente-se um tocar paternal, vê-se um sol radiante, veem-se amigos e sobretudo... um pai.

A verdade está nele e em seu silêncio se acomoda no vazio do ar, a esperança desgastada é agora recuperada, e diz que o mundo não está perdido, pedindo para que as pessoas se encontrem.

Nem é mau exemplo, mas sim a personalidade de cada um pedindo entrada.

O mundo é sempre uma tentativa de regeneração e esse homem é uma Vitória Regenerada.

Ele, sozinho, já é a farta Humanidade, mas não trata a ninguém com superioridade.

Às vezes me chama a atenção, mas nunca me magoou, e não quer que eu seja um anjo, mas quer que eu seja gente, e hoje sou, pois esse homem é Você...

EDUARDO MATARAZZO SUPLICY

De Herzer,
alguém que acredita nas plantações do destino
e que em todo lugar que recebamos ajuda,
existe sempre uma flor,
basta apenas que se aspire o seu perfume.

EDITORA VOZES LTDA.
Rua Frei Luís, 100 – Centro – Cep 25689-900 – Petrópolis, RJ
Tel.: (24) 2233-9000 – E-mail: vendas@vozes.com.br